新 潮 文 庫

淋 し い 狩 人

宮部みゆき著

新 潮 社 版

5843

祖父に

目次

淋《さび》しい狩人《かりゅうど》

六月は名ばかりの月

1

「おじいちゃん、お客さん」

倉庫のドアの陰から、稔《みのる》が顔を出してそう呼んだ。例のごとく、野球帽を後ろ前にしてかぶり、ガムでも嚙《か》んでいるのか、顎《あご》が動いている。

「急いだ方がいいよ。美人だから」

そう言って、自分もいそいそと店の方へ引き返してゆく。イワさんは、十冊揃《そろ》いの児童向き世界名作全集を棚《たな》の上に戻し、ズボンの埃《ほこり》をはらいながら倉庫を出ていった。

時は六月、季節は梅雨《つゆ》。どんなに気をつけていても、倉庫のなかが黴臭《かびくさ》くなる。ドアをひとつ隔てただけの店の方へ出てゆくと、今度は雨の匂《にお》いがする。表の雨を、客が店内へと運んでくるのだ。

東京の下町、荒川の土手下にある小さな共同ビルの一階で、六坪の店に、二坪の事務所兼倉庫。扱っているのはすべて古本。そう、イワさんが経営しているここ「田辺書店」は、古書専門店なのだった。毎日正午から午前零時《れいじ》まで店を開け、日曜祝日も営業。店を休むのは、正月の三が日と終戦記念日、そして、この店を興したイワさんの親友の命日である六月十五日だけ。勤勉が売り物の店であるが、稔は、ゼロメートル地帯のこの町をからかうつもりか、日本一海抜の低いところにある古本屋だってことも売り物になるなどと言うことがある。

イワさんがレジの方へと歩いてゆくと、稔は、ちょうど初老の男性客から金を受け取って、勘定しているところだった。一万円札を三枚、ゆっくりと数えている。イワさんは黙って稔のうしろに立ち、彼がお客に釣《つ》り銭と品物を渡し終えるのを待って、一緒に声を張り上げた。

「毎度ありがとうございます」

気のせいか、客の細長い背中がぎくりと強《こわ》ばったようだった。髪の薄い頭が動揺したように揺れ、それを見た稔が両手で口元をおさえた。笑っているのである。

客の姿が消えたとたん、イワさんは帽子の上から稔の頭をつっついた。「おい、あれが売れたんだな?」

「うん、売れた」と、稔はうれしそうに小鼻をひくひくさせた。

「狙《ねら》いはズバリだったな、ん?」

「おじいちゃんは頭いいよ。でも、どうしてわかったの?」

イワさんと稔が「あれ」呼ばわりしているのは、織田白蓉《おだはくよう》という名前の、さる宗教団体の教祖が著した、五冊組の自叙伝のことである。四六判のハードカバーで、写真がふんだんに使ってあるとはいえ、定価は法外にも一冊九千円也。第一巻の第一ページに載せられている著者の顔写真には、「著者御姿」というキャプションがついている。

「うちで扱ってる商品で、支払いに、万札を三枚ももらわなきゃならねえブツはあれしかないだろうが」

「もっとふっかけてやっても良かったみたい」と、稔はにやにやした。「貼《は》り紙を見て、ぎょっとして飛んできたもんね」

問題の五冊組は、今から一週間ほど前、田辺書店のシャッターの前に、紙袋に入れられて置き去りにされていたものだった。これはつまり、金は要らないからとにかく引き取ってくれ、という意味なのであり、そういう本にはロクなものがない。袋を開けてみたら、果たして教祖の一生が出てきたという次第だ。おまけに、著者のサイン本である。

イワさんは、古本屋にこういう本の託し方をしてゆく人間を、それほどひどい人々だとは思わない。正面から「引き取ってくれ」と持ち込んでも嫌《いや》な顔をされるだけだとわかってはいるが、ゴミと一緒に捨てたり、ちり紙交換に出してしまうには忍びない——と思っている人間たちだからだ。書籍というものに対して、多少の敬意を持ち合わせているということになる。

かといって、イワさんも、万物のなかで書籍だけがとりわけ敬意を払われて然《しか》るべきものだ——と思っているわけではない。人が汗水たらして創《つく》りあげたものは、すべて敬意を払われて然るべきものであり、書籍もそのうちのひとつだ、というだけのことだ。

さて、置き去りにされていた教祖の一生は、本来なら、田辺書店では歓迎できない種類のものだった。ここでは、四角ばって「古書」と称するにふさわしいような本は置いていない。棚に並べられている商品の大半は娯楽本だ。立派な娯楽本ばかりだ。小説もあればハウツー本もある。「おえかきのてびき」なんていうのもあれば、童話もある。ここに古本を買いに来るお客さんたちは、愉《たの》しみと夢を求めているのだ。教祖の一生のような類《たぐい》の書籍は、ここでは市民権を得ることができないのである。

「市場へ持っていったって誰も買わねえだろうしなあ」と、イワさんが嘆息していると、ページをパラパラめくっていた稔が言った。

「葉書がはさんであるよ」

それは、都税事務所から送られてきた、固定資産税納付の督促状だった。

「よりによって、いいものをはさんだもんだね。住所も名前もばっちりわかっちゃうじゃないか」

稔は呆《あき》れ、「電話して、本を引き取りに来いっていってやろうよ」と提案したが、イワさんには別の考えがあった。その日のうちに、店先に貼り紙を出したのである。

「織田白蓉様著『私の歩んだ道』全五巻入荷　著者献本サイン入り　十日以内に購入御希望のない際には版元に返本　お急ぎください！」

版元といったって、その宗教団体の事務局である。そこへサイン本を送り付けてやったら、先方は大騒ぎになるだろう。教祖の直筆サイン入り自伝を古本屋に持ち込んだ不埒《ふらち》な信者はどこのどいつだと、絶対に追及してくるはずだ。

そして、この五冊組を置き去りにしていった人物も、そうなったら大変だということぐらい、ちゃんとわかっているはずだ。

その結果がこれである。先ほどこれを買っていった男性客は、まず間違いなく、これを置き去りにしていった本人であったはずだ。

「でもさ、あの人がもう一度うちに来るって、どうしてわかったのさ？　遠いところから置きにきて、二度と近寄らなかったかもしれないじゃない？」

稔の質問に、イワさんは含み笑いをして答えた。「本がどうなったか気になって、一度は必ず様子を見にくるに決まっとる。犯罪者は犯行現場に戻るものよ」

「おじいちゃん、刑事みたい」

「しかしあの客は、全然美人じゃねえじゃないか。おまえも妙な符丁を使うねえ」

稔は、びっくりしたように椅子《いす》の背もたれから起き上がった。「やだな、違うよ。おじいちゃんに来てる美人のお客はホントのお客。おじいちゃんに会いにきたんだよ」

「どこに？」

あわてるイワさんに、稔は店のなかを見回し、推理小説の文庫本が並べてある辺りをさしてみせた。

「あの人だよ」

そこには、二十代半ばぐらいのほっそりとした女性が立っていた。いや、彼女の可《か》憐《れん》な風貌《ふうぼう》を表すためには、「佇《たたず》んでいた」と言った方がふさわしいだろう……。

「どうも、お待たせいたしまして」

彼女を事務所のなかに通し、座るときしむ応接用の椅子を勧めて、イワさんはようやく言った。

訪ねてきた娘は、佐々木鞠子《ささきまりこ》と名乗った。大手の都市銀行に勤めていると言い、行員証を見せて、怪しい者じゃありません、と笑った。名前には聞き覚えがなかったが、顔にはなんとなく見覚えがあるような気がする――と、イワさんが思っていると、つい先月まではこの町内に住んでいて、ときどきここにも古本を買いにきたんですよ、という。

「それはそれは。ごひいきにありがとうございました」イワさんは丸い頭をさげた。稔に言わせると、〈丸いけど恐ろしく堅い頭〉を。

「引っ越されたのは、ご結婚のためですか?」

尋ねると、鞠子は華やかな笑みを見せた。

「そうなんです。先週の日曜日に式をあげました」

ふむ、とイワさんは思った。いわゆるジューン・ブライドというやつだろう。

西洋のしきたりを日本に持ち込んで有り難がるのも結構だが、他人の迷惑になることだけは止《や》めてもらいたいものだ。イワさんは、常々そう思っている。梅雨の最中の六月の結婚式は、招かれて行く側にとってはやっかい極まるものなのだ。利発そうに見えるが、案外このお嬢さんも考えなしなのかもしれないねえと、イワさんは内心、少しばかりがっくりした。

そんなことは知らず、鞠子は笑みをつと引っ込めると、真顔をつくった。

「岩永《いわなが》さん――岩永さんでよろしいんですよね？」

「はあ、岩永幸吉《こうきち》が私の名前です」

その名前は、店の入り口にかかげてある古物取扱業の許可証に明記してある。そして、その隣には、かつてこの店の持ち主であった樺野《かばの》裕次郎《ゆうじろう》の遺影が並べてある。そうすることで、イワさんは、いつも樺野と二人で店を切り回しているような気持ちを持っているのだった。

「お店の名前は……」

「ああ、ここが田辺町というからですよ」

そこへ、稔がお茶を運んできた。鞠子が訊《き》いた。「こちらは、岩永さんの――」

「たった一人の不出来な孫です」

稔がふくれた。「不出来は余計だよ。僕、岩永稔です。どうぞ」

如才《じょさい》のない手つきで湯呑《ゆの》みを差し出す。鞠子は礼を言って受け取り、

「高校生？」

「はい。四月に入学したばかりですけど」

鞠子は、稔の頭の帽子を不思議そうにながめた。「どうして後ろ前にかぶってるの？」

「店のなかだと、ひさしが邪魔なんです」

「じゃ、どうしてお店のなかでかぶってるの？」

「埃やダニがくっつきそうだから」

「そんなに不潔にしとらんぞ」

「だから、くっつきそうな気がするって言ってるじゃないの」と、稔はすまして言う。

「それに僕、野球部員ですから」

「あら、素敵」と、鞠子が微笑《ほほえ》む。「ポジションは？」

「レフトで、五番」

「おまえ、塁審じゃなかったのか？　サードのすぐうしろにいるのは塁審じゃなかったかね」

「しょうがないじゃん、校庭が狭いんだもの」

鼻白んだ顔で稔が引っ込むと、イワさんは言った。「あれの言うことをまともに聞かんでください。あれらが学校でやっとるのは、フットベースボールみたいなもんですわ」

鞠子は楽しそうに頬《ほお》をゆるめている。「いいえ、可愛《かわい》いお孫さんですよ。でも、わたしのことは覚えていてくださらなかったみたい」

イワさんは首をかしげた。「と、おっしゃると……」

「わたし、以前にこちらで助けていただいたことがあるんですよ」

二ヵ月ほど前の夜のことだという。

「会社の帰りに、妙な男にあとを尾《つ》けられて、怖くなってここへ逃げ込んだことがあったんです。覚えていらっしゃいませんか？　わたしははっきり記憶してるんですが」

そのとき、イワさんは鞠子に、しばらくここで隠れているように言い、自分は辺りの様子を見に外へ出ていった。稔もやはりここにいてレジに座っていたが、走ったせいで息を切らせていた鞠子のために、水を持ってきてくれた――という。

「しばらくすると、岩永さんは戻っていらして、様子のおかしい男に出くわして、声をかけてみたけれど逃げられてしまった、と。それからお店を閉めて、お孫さんとお二人で、わたしをわたしのアパートの近くまで送ってくださったんですよ。この辺には交番がないから、こういうとき困りますなあ……とおっしゃったの、よく覚えてます」

　イワさんの頭のなかで、薄れていた記憶が少しずつはっきりとしてきた。

「ああ、そういえば、そんなことがありましたな」

「僕も思い出した」と、稔が再度顔をのぞかせた。「そうそう、あのときの人だ。髪型が違ってるから、すぐにはわかんなかったんです」

「立ち聞きするな」イワさんは叱《しか》ったが、鞠子はうれしそうにうなずいた。

「そうなの。その頃《ころ》はわたし、ストレートのロングヘアにしてたから」

　現在は、襟元《えりもと》をすっきりと出したショートカットにしている。白くなめらかな額も美しい。

　イワさんはちょっと顎を引いて鞠子を見つめなおした。「そうですな。思い出しましたよ。いや、驚いた」

「ホント？　おじいちゃん、俺《おれ》ぐらいの年齢になると毎日少しずつ死んでるようなもんだから、もの忘れもひどいんだって言ってたじゃない」

　イワさんはにらみつけた。「ちゃんと店番をしてろ。万引きにあったら、その分の金をおまえの給料からさっぴくぞ」

「そんなことしてお金貯《た》めたって、お棺《かん》のなかには入れられないよ」と言い捨てて、稔はパッと逃げた。

「不出来だという意味がわかるでしょう」イワさんは言い、がぶりとお茶を飲んだ。

鞠子はしばらく笑いこけていたが、バッグからハンカチを取り出して目元をぬぐい、息を整えてむきなおった。

「ごめんなさい、大笑いしたりして。でも、こんなに楽しいこと、久しぶりなんですよ」

「新婚さんがなんてことを言ってるんです」

すると鞠子は、急に表情を小さくした。本当に、はっきりとした目鼻立ちさえしぼんでしまったように見えるほど、暗い顔をしたのだ。

「実は、お願いがあってお伺いしたんです」

イワさんのシャツの左肩あたりに据《す》えていた視線をあげると、彼女は言った。

「あのとき、わたしを尾けていた男の顔を覚えていらっしゃいますか？　今でも見分けがつきますか？　それ、わたしにとって、とても大事なことなんです」

2

その夜、というよりは零時を過ぎて店をたたんでから、イワさんと稔は、イワさんのアパートへ場所を移し、すき焼きパーティを開いた。例の教祖の一生を売り付けたあがりで、たっぷりと牛肉を買い込んできたのである。

お客が一人いた。樺野俊明《としあき》。亡《な》くなったこの店の元経営者・樺野裕次郎の一人息子で、現在三十二歳、独身。樺野裕次郎は、自身の結婚も遅かったが、息子もなかなか所帯を持とうとしないので、とうとう孫の顔を見ないうちに逝《い》ってしまったのだ。

樺野俊明を、親しい者たちや職場の同僚は、みな「樺《カバ》さん」と呼んでいる。呼び名だから仕方がない。初対面の人は、カバさんというのだからどんな醜男《ぶおとこ》が来るのだろうと思っていると、なかなかの好男子が現われるので驚いてしまう。俊明にも、それを楽しんでいる節があった。

「牛肉の三十八度線を引こう」鍋《なべ》のなかをのぞきこみながら、稔が言った。「おじいちゃん、僕の領土へ侵略してこないでよね」

イワさんのグラスに吟醸酒を注《つ》ぎ足しながら、俊明が笑った。「そんなことをしなくても、まだまだたっぷりあるじゃないか」

「文句を言うなら自分の家で夕飯を食え」と、イワさんは言った。少し酔いがまわったので、いつもよりもっと声が大きくなっている。

「嫌だね。うちだと、一人で食べなきゃならないんだもん」

稔の両親は、父親は機械メーカーの販売部長、母親はインテリアデザイナーとあって、それぞれに多忙をきわめる毎日をおくっている。一人っ子の稔は、生まれたときから鍵《かぎ》っ子《こ》だったようなものだ。もっとも、いくら放ったらかしにしていても、親がまっとうに生きてさえいれば、子供もまっとうに育つものだ。暇を持て余して子供にかまけてばかりいる方が、ずっと良くない。

稔は、一年前にイワさんがこの店の経営を引き受けたときから、ほとんど毎週手伝いにきている。イワさんの方も、彼の助太刀《すけだち》をあてにしていたから、この協力関係はなかなか麗《うるわ》しく、巧《うま》くいっているのだった。

田辺書店は、樺野裕次郎が六十歳のときに開業し、一人でここまでもりたててきた店である。その彼が昨年六十四歳で病死し、死の間際《まぎわ》に、息子の俊明を枕元《まくらもと》に呼んで、自分が死んだあとも、なんとか店を残してくれないかと頼んだ。息子の方も、父親のその願いをぜひともかなえてやりたいと思った。

しかし、俊明がじきじきに店を仕切るというわけにはいかなかった。当時彼は、やっとこさ念願の私服刑事になったばかりのときだったからである。

そこで、故人の親友だったイワさんに白羽の矢が立てられたのだ。雇われ店主になってはくれまいか——と。

しかし、いくら親友とその息子の頼みでも、イワさんも簡単には返事ができなかった。樺野裕次郎とは違って、イワさんはもう文学老年でもなければそれほどの読書家でもない。活字をながめるのは新聞を読むときだけなのだ。四十年間材木問屋に勤め、定年退職したあとは、息子夫婦の邪魔にならないよう、植木でもいじって暮らそうかと思っていたところでもあった。

と、その時、

「いいじゃんか、おじいちゃん。やってみたら？　僕が手伝うよ」と言い出したのが、稔だった。

「僕なら、おじいちゃんよりは小説のこととかよく知ってるもんね」

まさに鶴《つる》の一声。それで決まってしまったようなものだ。

ど素人《しろうと》だから、最初のうちは見よう見真似《みまね》、開業のときに樺野も世話になったという古書店組合の役員をしている人にも手伝ってもらって、半年ぐらいすると、やっと形がついてきた。その間、店が大きな赤字も出さずにやってくることができたのは、ひとえに、生前の樺野がつかんでおいた客筋が良かったことと、「愉しみを約束する娯楽本だけを置こう」という経営方針が正鵠《せいこく》を射ていたからだったろう。

今では、イワさんの経営ぶりも板についてきた。息子一家の住んでいる横浜から通うのは面倒だ、ということで、店の近くにアパートも借りた。稔は、週末になると、そこへ一泊がてら手伝いにくる――というわけだ。

そして、名目上の経営者である樺野俊明は、今現在、警視庁の刑事部捜査一課に所属している。凶悪犯罪を扱う立派な刑事なのであるが、依然として、書籍のことにはとんと暗い。経営の才もない――もしくはあっても深く眠っている――らしく、イワさんは、そのためにも自分が田辺書店を仕切っていかねばと思っている。ちょっと悪知恵の働く雇われ店主がやってこようものなら、売り上げをどんどん掠《かす》め盗《と》られ、それでも俊明は何も気づかないでいることだろうから。

「それにしても味気ないね。男ばっかり三人ですき焼きだって」

ぼやく稔に、俊明が言った。「ガールフレンドを連れてくりゃいいじゃないか」

「カバさんこそ。いい加減で手を打って結婚しなよ」

「誰も俺に再婚しろとは言わねえな」イワさんはぼそっとひがんでみせた。

「そんなことしたら、おばあちゃんが夢枕に立つよ。たたられちゃうよ」

「罰当《ばちあ》たりなことを言いなさんな」そう言って、俊明はイワさんの方へ向き直った。

「それより、さっきの話の続きを聞かせてくださいよ。その美女の話」

イワさんは、佐々木鞠子の話をしていたのだった。

「美女たって、人妻だよ」と、稔が箸《はし》をなめながら言った。「不倫もいいけど、カバさん、もうそういう無駄弾《むだだま》を撃ってる余裕はないんじゃない？　そろそろ的に当てないと――」

「稔、ちょっと黙ってな」

イワさんは吟醸酒を一口なめ、きりっと冷たい後味を舌に感じながら、頭のなかを整理した。鞠子の語ったことの内容は、ちょっとばかり複雑だったのだ。

「俺は、たぶん、あのとき彼女を尾けていた男の顔を覚えていると思うし、見分けることもできるだろうと答えたよ」イワさんは箸を手にした。「それで、明日、佐々木さんが面通しの場をつくってくれることになったんだがね」

「どこで？」

「彼女のお姉さんのマンションだそうだ」

「姉さんの？　本人のじゃないんですね」

「そこが複雑でなあ」

鞠子の言う「事件」の起点をどこにするか、非常に決めにくいものがあった。まあ、彼女が語った順序を守るとすると、今から四ヵ月前、彼女の姉の樋口《ひぐち》美佐子《みさこ》が失踪《しっそう》したところから始めるのが順当なのだろうが。

美佐子は三十四歳、鞠子とは十歳違いの姉で、早くに両親に死に別れたあと、親代わりになって鞠子を育てた人だった。

（とても優しい人でした。ただ、わたしは姉に頭があがらなくて、ちょっと辛《つら》いところもあって……）

そんなことのためか、鞠子が成人し、現在勤めている銀行に就職したのを機会に、二人は別々に暮らすようになった。鞠子はこの町内にあったアパートに、美佐子は下北沢のマンションに移ったのだが、

「子供が親から巣立つようなもんで、とくに喧嘩《けんか》別《わか》れしたのではない、と言ってたよ。ちょくちょく行き来もしてたというし」

ところが、その美佐子が突然姿を消してしまい、なんの連絡もないまま、四ヵ月が過ぎた――

「失踪の前に、美佐子さんは鞠子さんの職場に電話をかけてきて、『歯と爪《つめ》に気をつけなさいよ』というようなことを言ったというんだな」

俊明が目を見開いた。「なんです、それは」

イワさんは首を振った。「俺にもわからん。稔はいろいろ解釈してたが」と言って、ものを言いかけた稔を手で制した。「あとにしろ、こんがらがるからな」

「わかった」と、稔がうなずく。イワさんは続けた。

「それが、姉さんの声を聞いた最後の機会だった、というんだ。そのときすぐに下北沢に駆け付けてみればよかったんだろうが、電話を受けたときは平日の木曜日の午後で、彼女もおいそれと職場を離れるわけにはいかなかった。それに、美佐子さんの様子におかしいところはなかったというんだ。ただ、昼間、職場に連絡してくることだけは、珍しいことだった。だから、仕事がひけてからすぐに下北沢に行ってみたんだが……」

「もう、姉さんの姿は消えていた……？」

「そうだよ」イワさんはむっつりうなずいた。

「ところが、カバさんもご存じのとおり、警察は失踪者の捜索にはあまり熱心じゃないだろう？　とりわけ、それが水商売の女性だったりすると」

「犯罪がらみでない場合はね」俊明は肩をすくめた。「実際、任意の家出や蒸発の方がずっと多いんですから」

「まあな」イワさんはため息をもらし、グラスに残った吟醸酒を飲み干した。「美佐子さんという人も、いわゆる男出入りの激しいタイプで、以前にも一度、妻子持ちの男と駆け落ち騒ぎを起こしたことがあったそうだ。しかも、調べてみると、美佐子さんのマンションから、スーツケースがひとつと、彼女の衣服が何着か消えているというんだな。貯金通帳も失《な》くなっている。それでますます家出の線が濃くなってきて、警察も『今度も駆け落ちじゃないんですか』という調子で、てんから相手にしてくれなかったそうだよ。そんなわけで、捜索願いは出したものの、美佐子さんは見つからず、戻らず、今日まできてしまった。警察は冷たいと、鞠子さんは怒っていたよ」

俊明は、自分が叱られているかのように首をすくめた。

「ところが」と、イワさんは続けた。「ところが、先週の日曜日、鞠子さんの結婚式で、なんとも不可解なことが起こった……」

挙式も披露《ひろう》宴も無事に終了したのだが、招待客が、それぞれ自宅に帰って引出物を開けてみると、そのなかの品物に奇っ怪な落書きがされていた——というのである。

「その品物自体は変わったものじゃない。本だ。小説だけれどね」

「引出物としては変わってるんじゃないですか」俊明が眉根《まゆね》を寄せた。「新郎か新婦のどちらかが作家の卵だとか？」

「いいや。ただ、新郎の佐々木佑介《ゆうすけ》という人は、フリーライターなんだ。カバさんたちが嫌《きら》うカタカナ商売だがね」

「べつに嫌っちゃいないけど、ああいう人たちは、身辺を調べにくいんですよ」と、俊明は笑った。

「新婦の方も読書家らしい。それだから、通り一遍の引出物だけでなく、自分たちが読んで感動したことのある小説を選んで、それを引出物に入れたと、こういうわけだ」

「しかし、大変でしょう？　招待客の人数分だけ好きな小説を集めるなんて」

「種類は四つだけなんだよ。招待客も六十人のこぢんまりした内輪の披露宴だったから、ひとつの小説につき十五冊ずつ集めればよかったんだ。有名な売れ線の本なら、それぐらい集めることは簡単にできるだろうさ」

食事に専念していた稔が、口をもぐもぐさせながら、四つの書名をあげていった。

「カバさん、一冊でも読んだことある？」

「ないね」と、あっさり。「題名からして縁がなさそうだ」

「新しいアメリカの文学ってやつなんだよ。僕もちらっと目を通したことがあるけど、あんまり面白くなかったな。思い付きとしてはいいけど、本ってさ、やたらと他人にプレゼントするもんじゃないんだよね。物をあげるってことは、強制することでもあるわけじゃない？　趣味にあわない物だったら、かえって迷惑だよね。普通、本好きの人だったら、人に勧めることはしても、プレゼントはしないもんだと思うけどなあ」

「披露宴の引出物っていうのは、ちょっと意味が違うんだよ。自分たちのための記念品でもあるんだから」俊明はとりなし、イワさんに訊《き》いた。「で、その本に落書きがされてたんですね？　何と書かれてたんですか」

焼き豆腐を飲み込んで、イワさんは早口に答えた。

「歯と爪」

「え？」

「い、歯と爪だよ。さっき話した、美佐子さんが言ったという台詞《せりふ》と同じ言葉だ」

「ふうん……確かに、めでたい日にはあんまりふさわしい語感の言葉じゃないですね。本のどの辺に書かれてたんですか？」

イワさんは顔をしかめた。「表紙にだそうだ」

「ひどいな、そりゃ」

「だろう？　それも、毒々しい赤色で。もちろん、新郎新婦や彼らの身内がそんなことをするわけはなし、まず、嫌《いや》がらせだと見て間違いないだろうがね。ただ問題は、その落書きがいつ書かれたのかわからない、ということなんだ」

当然のことながら、小説六十冊は、ホテルで用意した引出物と同列には扱われない。六十冊買い揃《そろ》えて、鞠子のアパートの部屋に保管し、彼女が、友人二人に手伝ってもらって、自分の好きな包装紙ですべてをラッピングしたという。そして、式の前日までに届くように箱に詰めて宅配便でホテルに送り、保管してもらっていた――

「わざわざ保管料ってのを取るんだから、ホテルの方でもちゃんと保管しているというんだな。外部の人間が立ち入って引出物にいたずらするなんざ、できっこないと。そして、式の当日、ほかの品物と一緒に袋詰めしたときも、六十冊のうちのどれも、包装紙が破れていたり、はがされていたような形跡はなかったと、ホテルの方では断言してるそうだ」

「幽霊文字だな……」俊明は首をかしげている。「鞠子さんのアパートに置いてあるあいだは、本当に何事もなかったんですね？」

「彼女はそう言ってる。自分たちの披露宴の引出物だ。大事に保管した、と」

「ラッピングした包装紙は何でとめたんでしょうね。糊《のり》？　それともセロテープ？」

イワさんはしかと記憶していなかった。代わりに、稔が答えた。「僕もそれが気になって、訊いてみたんだ。メンディング・テープだったって。だから、少なくとも糊なんかよりははがしやすかったよね」

「それだって、短時間ではがして、また奇麗に元どおりにするのは至難の業だろう」

「僕もそう思う」と、稔。「だから、やったのが誰であるにしろ、それは、六十冊の本が鞠子さんのアパートに置いてあるうちのことじゃないかな。ホテルの保管庫じゃ、悠長《ゆうちょう》なことをやってられないもの」

俊明がうなずいて、言った。「彼女、結婚式の前にアパートを空けたことはなかったんでしょうかね」

「誰かがアパートに忍び込んで落書きをしたってことかい？」

「そうですよ。慎重に包装をはがしてね。それしか考えられないでしょう」

「さもなきゃ、いちばんびっくりする種明かしは」と、稔が真顔で言った。「鞠子さんが自分で落書きをしてからラッピングをした、という説」

イワさんは首を振った。「おまえだって鞠子さんの話を聞いとったろう？　友達二人に手伝ってもらって、三人がかりで包んだ、と言ってたじゃないか。その友達までグルだったのかね」

稔はぺろりと舌を出した。「わかってるって。言ってみただけだよ」

苦笑している俊明に向かって、イワさんは続けた。「それはともかく、鞠子さんは、『歯と爪』という言葉に引っ掛かっててな。姉さんの失踪と、今回の嫌らしい落書きとは、関連があるんじゃないかと思っているそうだ。歯と爪なんて言葉は、普通じゃちょっと出てこないだろうし、偶然とは思えない」

「そうですね……」俊明は刑事の顔になっている。

「それと、姉さんのことはさておくとしても、こんな卑劣な嫌がらせをしそうな人物には、心当たりがあるんだとさ」

「どんな人物？」

「フラれ男だよ」と、稔が言った。「鞠子さんにしつこく付きまとってたんだって」

「挙式の数日前に、その男が彼女のアパートの周囲をうろうろしているところを、彼女自身が見かけているそうだ。そして、二ヵ月前に、夜道で彼女を尾《つ》けまわした男も、そいつだったんだそうだ。当時はそこまで話してくれなかったが」

「ただの痴漢だろうって言ってたもんね」

「彼女は夜道で男の顔を見ているし、間違いないとも思う。でも、彼女一人の証言では、信憑性《しんぴょうせい》がないと言われたらそれまでだ。そこで、うちへ訊きにきたというわけだな。俺《おれ》という第三者の証言で、その男の顔と、彼女が疑いを抱いている顔とが一致したら、もう大丈夫だ。警察にもそのことを話せるし、一連のことに、少しはまともにとりあってもらえるんじゃないか、というわけだ。ただ引出物に悪戯《いたずら》をされました、だけじゃ、警察は動いてくれんだろ?」

「そういじめないでくださいよ」俊明は言った。「なにか僕に手伝えることがあれば協力しますから」

「いい心がけだねえ」

満腹して畳にのびていた稔が、「わあ、暑いや」とうめいて窓を開けた。

「当然だろ、六月のすき焼きだ」

「僕、すき焼きなら一年中でも食べたいけどね」

開け放った窓から、小雨混じりのひんやりした風が吹き込んでくる。寝そべって気持ちよさそうに目を閉じている稔をながめながら、俊明が訊いた。

「〈歯と爪〉という言葉について、稔くんはいろいろ意見があったんじゃないか? 聞かせてくれよ」

目をつぶったまま、稔は答えた。「すぐにパッと思い浮かんだのは、推理小説の題名だね」

俊明はイワさんの方を振り返った。イワさんもうなずいた。

「そういうのがあるそうだ」

「ビル・S・バリンジャーって人の代表作で、そのものズバリ『歯と爪』っていうんだ」

「なにか、この事件と関《かか》わりがありそうかい？」

「どうかな……」稔は目を開いて天井をながめた。「復讐《ふくしゅう》ものだけどね。あるマジシャンが、愛する女性を殺した男に仕返しをする話」

「気がめいる話か？　それともスカッとする？」

もぞもぞと立ち上がって隣の座敷に行っていたイワさんは、青い表紙の文庫本を一冊、俊明の目の前に差し出した。

「これ？　へえ、変わってますね」

バリンジャー作『歯と爪』は、〈返金保証〉で売り出された本なのだ。小説の最後、およそ四分の一ほどに別紙で封がしてあり、それを切らずに版元に持っていけば、代金を返してくれるというのである。

「今夜読んでみようと思ってな……」

3

美佐子のマンションは、下北沢の駅から歩いて十分ほどのところにあった。レンガ色のタイル張りで、建物の周囲に緑鮮やかな植込みがあり、ところどころに、淡い紫色の紫陽花《あじさい》がぽっかりと咲いていた。

今日も雨が降っている。灰色の空から霧吹きで吹きおろされてくるような雨だ。

建物を見上げたイワさんは、各部屋のベランダに、物干竿《ものほしざお》やフックの類が全く見当らないことに気がついた。してみると、ベランダに何も干されていないのは、天候のせいではあるまい。景観保持とステイタスの維持のため、「見苦しい」洗濯物《せんたくもの》や布団《ふとん》を外に干してはいけない、という規約つきのマンションなのだろう。

つまりは、高級マンションということだ。

美佐子の部屋は四階の三号室で、方角としては西南に向いていた。西日は暑いが日当たりはいい。眺《なが》めの点でも上々だから、さぞかし高価《たか》い部屋だろう。

時刻は午後一時をすぎていた。十一時半に、鞠子と彼女の夫の佐々木佑介が、車で田辺書店へと迎えに来てくれて、うらやましがる稔に店番を頼み、イワさんはやってきた。

若夫婦は、二人揃って緊張した顔をしている。佐々木佑介は甘い雰囲気《ふんいき》の二枚目だが、今は目尻《めじり》のあたりがひきつっていて、何やら監督に怒鳴られてばかりいる若手俳優のように見える。鞠子も、目の下に薄い隈《くま》を浮かべており、化粧ののりがよくなかった。

そしてイワさんも、かなりの緊張を感じていた。こうして佐々木夫妻に囲まれて歩いていると、本当に警察に面通しに行く途中のような感じがする。万が一、あの夜の男を見分けることができなかったなら、バツの悪いことになりそうだ。雰囲気が、あまりにも真剣なのである。

鞠子が四〇三号室のチャイムを鳴らすと、すぐに内側からドアが開かれた。鞠子と同年齢ぐらいの可愛らしい女性が顔をのぞかせ、「お帰りなさい」と言う。

「わたしの職場の友達なんです」と、鞠子が紹介した。「井口節子さん。彼女にも証言してもらいたいことがあって、同席してもらうことにしました」

イワさんは黙って頭をさげた。いくぶん恐縮しているように見えたかもしれない。証言、か。やれやれ。本当にいかめしくなってきたものだ。

2LDKの部屋のなかに足を踏み入れた瞬間、かすかに黴臭《かびくさ》い匂《にお》いがした。時節柄《がら》、人が住まっていないと、すぐにこうなってしまうのだ。

鞠子もそれを感じたのだろう。イワさんに、リビングのソファを手で示して勧めながら、形のいい鼻にしわを寄せている。

「時々、空気を入れ替えに来てるんですけど、やっぱり駄目《だめ》ですね」

「いっそのこと、鞠子たちが住んじゃえばいいのに。それでお姉さんを待ってたら？」

井口節子が明るい口調で言った。びっくりした兎《うさぎ》のような顔をした娘で、よく見ると目も赤い。昨夜、夜遊びがすぎたのかもしれない。

「そうはいかないですよ」と、佐々木が言った。男にしてはハイトーンの声だが、めりはりのきいた口調で、気持ちよくしゃべる。仕事柄かもしれない。

「ここは美佐子さんの家なんだし、黙って立ち入るわけにはいかない。今日は特別です」

節子が小さく舌を出した。イワさんの方を向いて笑いかける。人懐《ひとなつ》っこいというか、図々《ずうずう》しいというか。

「しかし、ここは家賃が高いでしょう」と、イワさんは訊いてみた。いくら共稼《ともかせ》ぎと言っても、若い佐々木夫妻が、自分たちの衣食住のほかに、ここの払いまで賄《まかな》ってゆくのは大仕事のはずだ。

「ここ、分譲なんです」

鞠子の答えを聞いて、もっと驚いた。

「それじゃ、ローンが大変だ」

鞠子は夫と視線をあわせると、困ったように目を伏せて、「払いは終わってるんです。実は昔、姉がパトロンと別れるときに、手切金代わりにもらった物件で……」

「なるほど」イワさんは急いで言った。「それならねえ」

鞠子のいれたコーヒーを飲みながら、一同は所在なく待った。

「二時の約束ですから」と鞠子は言い、それきり、カウンターキッチンのスツールにもたれて、ずっと顔を窓の方へ向けている。夫は新聞を読んでいた。

井口節子は、好奇心をむき出しにして、部屋中を見回していた。若い女の子にとっては、こうした部屋は憧《あこが》れの対象になるのだろう。イワさんも、時々、店に持ち込まれるインテリア関係の雑誌をのぞいてみることがあるが、ああいうグラビアに載っているつくりものみたいな部屋が、実際に生身の人間の住まいとして実在しているところを見たのは初めてだった。

壁のあちこちに、どこかで見たことのあるような絵がかけられている。複製であろうが、雰囲気は豪華になるし、ひょっとすると、一点か二点は本物かもしれない。

商売柄、ついつい、視線は本棚《ほんだな》の方へと泳いでゆく。書棚を見れば持ち主の人格がわかる――とまでは言い切れないが、嗜好《しこう》ぐらいはよくわかるし、ある程度の年齢も見当がつくものだ。

どうやら、美佐子は推理小説が好きだったらしい。ひと目でわかった。国産、翻訳ものを取り混ぜて、二段スライド式書棚をいっぱいに埋めてある。稔がいれば、ミステリ・ファンとしての彼女の嗜好をすぐに解説してくれるのだろうが、イワさんには、まだそこまで読み取ることができない。ああ、うちで扱っている本があそこにあるな――おや、あそこにも、という程度だ。

思い出したのは、『歯と爪《つめ》』のことだった。

「昨日、うちの孫と話してましてな」と、イワさんは鞠子の方を向いて言った。「『歯と爪』というのは、有名な推理小説の題名だと教えられました」

鞠子は大きくうなずいた。「はい、そうです」

「お姉さんはミステリがお好きだったようだが、書棚のなかに『歯と爪』はありましたか？」

「ありました」と、鞠子が答え、棚から抜き出して、イワさんに渡した。後半部の封は切ってあるが、ま新しい感じの本だった。

ちょうどそこへ、計ったようにチャイムが鳴った。「来たわ」と言って、鞠子が立ち上がる。イワさんは、ずいぶんと久しぶりに背中がきゅっとひきしまるような気分になった。

ややあって戻ってきた鞠子は、男を二人、従えていた。二人のはいているスリッパが、フローリングの床に当たって耳障りな音を立てる。それがリビングに入ってきたとき、イワさんは顔をあげた。

案ずることはなかった。向かって左側の若い男が、あの夜の男だとすぐにわかった。鞠子と同い年ぐらいだろう。優男《やさおとこ》だが耳が大きく、ひょろりとした体躯《たいく》に、アンバランスな感じで肩幅が広い。安っぽいレインコートの肩が雨で濡《ぬ》れている。コートの下には一応スーツを着込んでいるが、あまり着馴《きな》れていない感じで、襟元《えりもと》がだらしない。

右側の男は、まったく知らない他人である。年齢的にも、今ここにいる、イワさんを除いた三人の男のうちでは、いちばん上だろう。渋いスーツにぴしりとネクタイをしめている。こめかみに、わずかに刷毛《はけ》ではいたような白髪《しらが》が数本。

イワさんの顔を見つめていた鞠子は、その表情で、首尾を悟ったらしい。新たな来客二人に椅子《いす》を勧め、コーヒーを注《つ》ぎにいった。

「それより、早く用件を済ませてくれよ」と、若い方の男が言った。喉《のど》にからんだような、かなり特徴のある声だ。

「二人きりで話したいことがあるっていうから出かけてきたのに、これ、何だよ」と、不服そうに口をとがらせる。

コーヒーをテーブルに置くと、ひとつ小さく息を吐いて、鞠子は身体《からだ》を起こした。

若い男に視線を据《す》えて、

「もう、用件は半分済んだようなものなの」と言った。

「どういうことだよ」

鞠子はイワさんを振り返ると、もう一方の男の肩に手を置いて、「こちらのかたは、わたしたちが式を挙げたホテルの事故調査係の方なんです。時間をあわせて、そちらの方と一緒に来てもらうようにしたの」

「はじめまして」と、男が会釈《えしやく》した。「あなたが岩永さんですな。お話は佐々木さんご夫妻からうかがっています。私は本橋行雄と申します」

イワさんは頭を下げ返した。鞠子は問題の男の方を向いて、

「そして、こちらの方が鈴木洋次さん。岩永さんは、すぐわかったみたいですね」

「何がわかったっていうんだよ？」と、若い男がまた口をとがらせた。そういう態度をとると、稔より子供っぽく見える。

「こちらの岩永さんを、あなたは覚えてないの？」鞠子の口調が鋭くなった。「二ヵ月前の夜、わたしがあなたに夜道で尾け回されたとき、助けてくれた本屋のご主人よ」

「古本屋ですが」と、イワさんは注釈を入れた。「あのとき、私が声をかけたら、あなたは逃げだしましたな」

鈴木洋次の顔の皮膚がぴんと張りつめた。震えているのはくちびるだけだ。「そんなこと――」

「なかったとは言わせないわ」

洋次は黙りこくってしまった。肩に力を入れ、膝《ひざ》の上でこぶしを握りしめている。

「私もあなたの声をよく覚えていますよ」と、本橋が言い出した。洋次ははっと顔を上げた。

「佐々木ご夫妻の挙式の前日、私どものオフィスに電話をかけて、たしかに明日、二人の挙式は行なわれるのかと、尋ねてきた方がおられました。特徴のある声だったので、よく記憶しています」

間抜けなことに、洋次はこう言った。「電話に出たのはあんたじゃなかった！」

本橋は営業用の微笑を浮かべた。「様子のおかしい電話は、私もそばでモニターしているのですよ」

やれやれ、情けないことだ。イワさんは気が滅入《めい》ってきた。

「我々の結婚式の引出物に落書きをしたのも、君だってことはわかってるんだ」

佐々木が言うと、鈴木洋次はきょとんとした。

「何のことだよ」

「とぼけるな！」

佐々木の説明を聞いて、今度は驚いた顔になった。

「俺が、そんなことをするわけが——」

「ないっていうの？　嘘《うそ》ばっかり。じゃ、どうして、ほかの人と結婚するってわかってるわたしのあとを尾けたりしたの？」

洋次はうつむいた。息を切らしている。イワさんは哀れをもよおしてきた。

「どうやって落書きしたの？　アパートに忍び込んだの？」

洋次はただ頭を横に振った。

「でも、わたしもアパートの近くであなたを見かけたことがあるし、隣の部屋の人も、あなたによく似た男がわたしの部屋の前をうろついているのを見かけてるのよ。ちょうど、結婚式の一週間前に。そのときにはもう、引出物の本は全部ラッピングを済ませて、部屋のなかに置いてあったの。そして、その週の週末は、わたし、佐々木のマンションで過ごしていたから、二日間も部屋を留守にしてたのよ」

黙ったまま、洋次は頭を抱えている。イワさんは静かに訊《き》いた。

「隣の人の証言に間違いはないのですかな？」

「ありません」飛び付くように、佐々木が答えた。「その人は、怪しい男を見かけたとき、アパートの前に見慣れない車が停《と》められていたことも覚えていました。女性ばかりのアパートですから、そういう点では神経質で、彼女はその車のナンバーも記憶してたんです」

ゆっくりと、佐々木が車のナンバーを暗唱した。そして言った。「鈴木くん、君の車だろう？」

しばらく、洋次は答えなかった。答えたときにも、最初は言葉になっていなかった。

「行ったよ……」

「え？」

「行ったって言ってるんだよ！　認めるよ！」急に怒鳴り声になった。「鞠子のあとを尾けたことも認めるし、ホテルに電話をかけたことも、何度かアパートへ出掛けたことも認めるよ！」

　鞠子が金切り声を出した。「わたしを呼び捨てにしないでよ！」

　佐々木がスツールから飛び降り、なだめるように妻の肩を抱いた。

「だけど、式の一週間前にアパートへ行ったのは、呼び出されたからだよ」

「誰に？」

「鞠子にさ」

「嘘よ！」彼女は怒った。「どうしてわたしがあんたなんかを……」

「知らねえよ、知らねえけど、仲間がそう言ったんだ。鞠子さんから言伝《ことづて》があったって」

　イワさんはゆっくり言った。「誰かが鞠子さんの名前をかたって電話をかけたのかもしれませんよ」

「そんな……」

「それに、よしんばあなたのアパートまで行ったとしても、どうやって中に入ります？　あなただって、お出かけのときには鍵《かぎ》をかけて行くでしょう？」

　鞠子は軽蔑《けいべつ》したように鼻を鳴らした。「古い木造アパートの鍵なんて、頼りになるもんじゃありません」

「しかし、それじゃ、不用心でいられないはずだ」

「ええ、そうですよ。だから、わたしは、自分が部屋のなかにいるときは、内側からがっちり閂《かんぬき》をかけてます。でも、出掛けるときはそんなことできないもの。この人、どうにかして入りこんだんだわ」

「最初から悪戯《いたずら》をするつもりで？　だったら彼は、そこに引出物があることを知ってたんですかな」

イワさんは洋次に問いかけたつもりだったのだが、答えたのは、意外なことに井口節子だった。

「知ってたと思います。支店のみんなが知ってたから、誰かの口から耳に入ったんだわ」

「ということは、鈴木さんもあなたがたの職場の同僚なんですか？」

鞠子の肩を抱き締めながら、佐々木が答えた。「彼は、支店に出入りしている仕出し弁当屋の店員なんだそうです」

「ええ、そう」と、井口節子が続けた。「うちの支店には食堂がないので、業者を頼んでるんです。彼は配達の人で、通ってるうちに、鞠子に目をつけたの。一年ぐらい前からだったかしら。それで、すっごくしつこく言い寄るようになって……」

「どんなふうに？」うんざりしながら、イワさんは訊いた。

「通用口で待ち伏せしてたり、ほかの女の子を脅かして鞠ちゃんの電話番号を聞き出して、一日に何度も電話をかけたり……ね？」

節子が見上げると、鞠子は硬い表情でうなずいた。「いやらしいことばっかり書いてある手紙をたくさんもらいましたし、勝手に、あちこちに『鞠子は俺《おれ》の女だ』と言い触らされたこともあります」

イワさんは洋次の顔をのぞきこんだ。「本当かね？」

彼は黙って下を向いている。

鞠子が震える声で続けた。「この人、いつのまにか、この姉のマンションまで探り当てて——たぶん、わたしを尾行してきたんでしょうけど——姉にとりいるようになったんです。なんでもするから、妹さんと結婚させてくれって。でも、わたしが嫌《いや》がってることを知ってたから、姉も相手にしませんでした。いつも玄関ばらいで、一一〇番するわよって脅かして」

仕方ない。気味悪がられて当然だ。

「今まで、佐々木だけにしか話さなかったことですけど、実は、姉が失踪《しっそう》する二週間ぐらい前、姉とわたしと鈴木さんの三人で、このマンションで話し合いをしたんです。その時にはもう、わたしは佑介との結納《ゆいのう》も済んでいたのに、まだ鈴木さんにつきまとわれて、怖くてしょうがないって話したら、姉が『あたしがきちんと話をつけてあげる』って。姉は物慣れた人でしたし、どうせこのマンションの場所も知られているんだし、逃げ隠れしないで、こっちの土俵で話し合おうじゃないのと言って、鈴木さんをここへ呼び出したんですよ」

場の雰囲気をやわらげるために、少しだけ水割りなど出し、美佐子はこんこんと洋次を説いたという。

「でも、この人ったら全然耳を貸してくれなくて。途中で席を立って帰ってしまって、二時間ぐらいしてから、べろべろに酔って電話をかけてきたんです。『覚えてろ』ってわめいてたわ」

「あんたはそれを覚えてるかね？」と、イワさんが尋ねると、洋次は首をひねった。

「やれやれ。この人には付ける薬がなさそうだね」

「ホントなの、鞠ちゃん」節子が恐ろしそうに首を縮める。「あたし、そんなの初耳よ。ホントにそんなことがあったの？　そのあと、お姉さんは失踪したの？」

「そうよ」くちびるを嚙《か》みしめて、鞠子は言った。「わたしだって恐ろしいわ。だから、ずっと耳をふさいできたの。考えないようにしてきたの。まさか鈴木さんだって、そこまではするはずがないって……」

ようやく顔をあげ、洋次がつぶやいた。

「どういうことだよ」

佐々木が言った。「君が美佐子さんを殺したのか、と訊いてるんだ」

その瞬間の沈黙には、どうやら牙《きば》が生えていたようだ。洋次は大きく顔を歪《ゆが》めた。

「どうして……どうして俺がそんなことを……」

「あんたが姉さんを邪魔者だと思ってたからよ！」爆発するような大声で、鞠子が叫んだ。「わたしを諦《あきら》めろって説教されたのが面白くなかったからよ！　だから殺して、死体と一緒に洋服やスーツケースを持ち出して、失踪したように見せかけたんでしょ？　いつ殺したの？　いつ？　どういう口実をつくって、また姉さんに会ったの？　それとも電話をかけたの？　殺すより前に、話をしたのは確かね？　だって、姉さんはわたしに電話をかけてきて、『歯と爪に気をつけなさい』って言ったんだもの。『歯と爪』って、あんたのことでしょ？」

「俺にはなんのことだかわからねえよ」

泣きだしてしまった鞠子の代わりに、佐々木が低く言った。「君、自分のことを

『歯と爪』の主人公と同じだって、そう言ったそうじゃないか」

洋次がなにか言うより先に、節子が口をはさんだ。「そうよ。そのことなら、あたしも聞いたことがあるもの。鞠ちゃんのお姉さんが、『歯と爪』って言葉を残して失踪したあと、十日か二週間ぐらいたってからだったかしら。お昼休みに、みんなでそのことを話してたら、あんた、勝手に割り込んできて、『歯と爪なら知ってる、男が女のために人殺しまでやる小説だ。俺はあの主人公と同じだ、惚《ほ》れた女のためならどんなことでもする』って、そう言ったじゃない。あたし、聞いてたわよ」

イワさんは鞠子を見上げた。「鞠子さん、あなた、お姉さんからの電話を受けたとき、それについて皆に話したのかね?」

「ええ。『歯と爪』の意味を知りたかったので……」

「で、そこにいた誰かが知っていた?」

「はい。出納課の課長が。それで、意味を教えてもらったんです。バリンジャーという人の書いた小説だ、と」

唾《つば》を飲み込みながら、洋次は言った。「俺はそれを聞いて――それから『歯と爪』って小説を読んだんだ。それ以前には知らなかった。鞠子の姉さんが失踪するまで知らなかったんだ」

「そんなこと、誰が信じるもんですか」

洋次の声がひび割れた。「俺は、俺は誰も殺してないよ！」

頬《ほお》を涙で濡らし、落ちた化粧で目の周りを汚しながら、鞠子が言った。「わたしもそう願ってた。姉さんは、なにか別の事情があって姿を消したんだって信じようとしてたわ。でも、もう駄目《だめ》。限界よ。よりによって、引出物にまであんなひどい悪戯をして、いったいどういうつもりだったの？　何が『歯と爪』よ。あんな言葉を書いて、一人で気持ちよくなってたの？　でも、お生憎《あいにく》さま。わたしはあれを見たとたん、ふっ切れたわ。あんな執念深いことをやるあんただもの、姉さんを殺してたって不思議じゃない。そう思った。だからこうして、あんたが過去にやってきたことの証拠を集めるために、皆さんに集まってもらったの。少しずつ証拠だてて、かならず警察に突き出してやる。姉さんが、殺される間際《まぎわ》にわたしに警告してくれたことを、絶対無駄にするもんですか！」

鞠子が「出ていけ！」と怒鳴る前に、洋次は身をひるがえしてドアから走り出て行った。あとに残ったのは、鞠子のすすり泣きと、くたびれ果てたような雰囲気《ふんいき》だけ……。

ややあって、ずっと沈黙を守っていた本橋が口を開いた。

「お姉さんの失踪当日の、鈴木さんのアリバイを調べた方がいいですね」

「そのつもりです」と、佐々木が答えた。

「なんなら、良い調査事務所を紹介しますよ。警察に告発するには、たとえ状況証拠であっても、できるだけ揃《そろ》えておいた方がいい」

佐々木がイワさんの方を見た。「そのうち、正式な形で証言していただくことになると思います」

イワさんは、「はあ」と答えた。

4

その後の経過を、イワさんは電話で聞いた。

調べれば調べるほど、状況は鈴木洋次にとって不利になっているらしい。彼には、美佐子が失踪した日のアリバイがない。弁当屋の仕事は午後二時で終わるのだが、そのあと、パチンコ屋に入ったり映画を観《み》たりして、一人で過ごしていたというのだ。

どうやら、ちゃらんぽらんな生活をしているこの青年は、群れて悪いことをする夕イプではないらしい。ただ、毎日なんとなく遊んで暮らしているのだ。故郷から仕送りしてくる親は、息子が大学に通っているものと信じ込んでいるらしいが、その仕送りさえ充分ならば、弁当屋の仕事だって辞めたいところなのだろう。

「そんなやつでも、女性に惚れるときだけは一人前なんだね」と、稔が穿《うが》ったことを言った。平日なので、これも電話である。

「そばで母さんが聞いてる。あんた、何しゃべってるの、だって」

「人生勉強をしていると答えとけや」

「おじいちゃんについて人生勉強すると、満点はとれるかもしれないけど、本当の必修科目は全部落としちゃうってさ」

受話器ごしに、嫁が（バカね、そんなこと言うんじゃないの）と叱《しか》っているのが聞こえる。イワさんは笑いこけた。

「ごめんなさいね、お義父《とう》さん」息子から受話器をもぎとったのか、あわてた様子で嫁が弁解する。

「なんのなんの」イワさんは答えた。「あんたも、二十年近くかかってやっと岩永家の嫁になったたな。地声が大きくなったのが立派な証拠だ」

受話器を奪還した稔が、「おじいちゃん」

「なんだね」

「おじいちゃんは、その鈴木って人が美佐子さんを殺したんだと思う？」

ちょっと考えて、イワさんは正直に答えた。

「わからんな」

「彼が犯人だとしたら、話の筋は通るよね？」

「一応はな」

「でもさ、僕、ちょっと疑問だね」

稔は洟《はな》をすすった。風邪でも引いたらしい。

「僕もさ、二十五歳ぐらいになれば、女の人を殺したあと、彼女が自分の意志で家出したと思われるように、スーツケースに洋服を詰めて持ち出すような才覚が出てくるかしら」

「それは永遠の謎《なぞ》だな」イワさんは言った。

「それと、鈴木洋次は二十三歳だぞ」

「そうなんだ。へえ……じゃあ、なおさら不思議だな。美佐子さんて、バーのママさんでしょ？　その辺の女子学生なんかとは、洋服の趣味だって違ってたはずだよね。それでも、鈴木洋次は、迷いもせずに彼女の洋服を選ぶことができたのかな？　そうでなきゃ、あとで鞠子さんが調べたとき、すぐにヘンだと気づいたはずだから……」

イワさんは黙って考えた。

「おじいちゃん。おじいちゃんがこの事件に首をつっこんだの、どうして？」

「つっこんだわけじゃねえだろう。巻き込まれたんだ」

「でも、経過が気になるでしょ？」

「うん……」

「おじいちゃんさ、落書きされたのが本の表紙だったから、腹を立ててるんじゃない？　だから事件の行方が気になるんだよ。きっとそうだよ、ね」

イワさんが返事に迷っていると、稔は言った。「母さんが、いい加減に電話を切れって言ってる」

気力あふれるイワさんも、さすがに、週の中ごろになると疲れが出る。田辺書店には、アルバイトの学生も二人いるのだが、稔ほどの気働きがない子供たちなので、どうしてもイワさんに負担がかかるのだ。

店を閉めたあと、アパートに帰るのが面倒になって、事務所でごろ寝してしまうのも、そんなときだ。だが、その週の水曜日の未明には、そうしていたおかげで泥棒《どろぼう》を捕まえた。

いや、正確には泥棒ではない。店から黙って本を持っていったなら泥棒だが、黙って置いていこうとしている場合は、なんと呼べばいいのだろう？

「うちのシャッターはぶっこわれてるんで、ちょっと触っただけでも大きな音がするんだ」

バットを構えて走り出たイワさんは、そこにいた男に言った。

「気の毒に。今度はちゃんと、固定資産税の督促状を抜いて持ってきたかい？」

先日、教祖の一生全五冊を買って行った男だった。今夜もそれをそっくり腕に抱えて、ほかにどうしようもないのか、照れ笑いしながらこう言った。

「今度はサインの部分を切り取って持ってきたんですがね……」

女房が、この新興宗教に首までつかっているのだ、と男は言った。

「活動に夢中で、道場に泊まり込んでましてね。ろくすっぽ家にも帰らん始末です」

四十代の後半というところだろうか。眉毛《まゆげ》に交じっている白髪《しらが》がなんとも切実で、イワさんは身につまされてしまった。

「この自伝も、買って持って帰って来るなり、うちの本棚《ほんだな》に麗々しく飾りましてね。

拝んで読めって言うんです。そうすれば幸せになれるから、とか言って。ふん、脇《わき》で子供が途方にくれてるっていうのにね。見向きもしないでまた道場に帰っちまう」

「だからうちに持ってこられたわけですか。見るのも腹立たしくて」

男はうなだれた。

「あなたも律儀《りちぎ》だなあ。いっそ捨ててしまったらどうです」

「しかし、本は捨てられませんよ。いくらなんでもね」男は言って、頭を振った。

「だから腹が立つんです。こういう図々《ずうずう》しい本をズケズケと出されるとね。本にされちまったら、やっぱりこっちはお手上げですから」

イワさんは、こういう人が大好きである。つい朝飯を奢《おご》ってしまった。

男はよく食べた。久しく、まともに朝食などとっていないのだという。

「奥さんをあてにしないで、あなたと子供さんで家事をこなすことを覚えた方がいいですよ」

そうですなあ、と言って、三杯目のおかわり。腹が満杯になると、多弁になった。

「私は技術屋でね。配管の方なんですが、大きな発電所や、石油コンビナートのプラントなんか、ずいぶん手懸《てが》けたんです。それで、出張や転勤が多くてね。家内にも淋《さび》しい思いはさせたけど、しょうがないじゃありませんか、仕事なんだから。それで飯を食ってんだからね」

そのとおりだと、イワさんは合いの手を入れたが、イワさんがこなしてきた材木屋稼業《かぎょう》には、転勤も出張もなかった。

「だから、家内が拝む方にのめり込んだのも、半分は私の責任なんだけども、それにしたって女房は世間知らず過ぎますよ。あいつだけじゃない、信者はほとんどそうですな。コロッと騙《だま》されて、二束三文のものを『ご神体だ』なんて拝んでるんだから。いえね、道場の正面に、大きな祭壇がありましてね。立派だから見に来いって、あんまりうるさいもんだから、一度だけ行ってみたんです。信者がみんな畳にひれふして、白無垢《しろむく》みたいなのを着た巫女《みこ》さんが拝むんだけど、そこで火を焚《た》くんですよ。祭壇の前で。そうしているうちに、道場の壁に、ぼわあっと阿弥陀如来《あみだにょらい》像が浮かび上がるっていって、信者は喜んで半狂乱ですよ。他愛ないよまったく」

「はあ……すると、なにか仕掛けがあるんですか？」

男はぽんと膝《ひざ》を叩《たた》いた。「ありますよ。大ありですよ。あれはね、機能性塗料ってやつなんです。温度差を感知して発色するんです。常温では無色でも、火を焚いて室温があがると色が浮かんでくるから、それで描《か》いた阿弥陀如来像が見えてくる。ただそれだけのことですよ」

イワさんは、急に目が覚めたような気がした。急いで訊《き》いた。

「その、機能性塗料というのは、どこでも手に入りますか？」

「ええ、買えますよ。使い道さえわかってればね。素人《しろうと》でも」

「ほかにもあるんですか？　たとえば、低温で発色するとか、湿度を感知するとか」

「いろいろあります。温度を厳重に管理しなきゃならない化学工場のパイプには、機能性塗料がよく使われるんですよ。肉眼で温度管理できますからね。航空機の機体には、ヤリイカの肝臓から採った色素を塗るんです。非常に粒子が細かくて、光をよく吸収するんで、歪みや金属疲労が一発でわかるようになりますから」

そのあとを、イワさんは聞いていなかった。いやはや、これはやっぱり教祖のお導きだったのかな……

アルバイトの二人に店を任せ、その週の後半を、イワさんは人に会って過ごした。毎日雨降りだったので、傘《かさ》が乾く暇もない。

まず会いにいったのは、本橋だ。彼の本拠地であるホテルのなかで見ると、ひどく慇懃《いんぎん》無礼な感じのするこの男は、説明を聞くと、半信半疑ながらも、鞄子から提供されているという問題の落書きされた本を一冊携えて、イワさんと一緒に、教祖の本を捨てにきた男の働く会社へとやってきた。

あの男は現場主任で、それなりに社内で顔がきくらしい。研究所の方へ話を通しておいてくれたので、すぐに見てもらうことができた。

結果は予測どおりだった。

次にやったのは、樺野俊明に会うことだった。この若い刑事に会うためには、捕虫網を持っていって捕まえるような気構えでいないといけない。めったに接近遭遇できないのだ。結局、その日は空振り。翌日の木曜日いっぱい粘って、やっと捕まえた。

「なんですって?」

開口一番、俊明はそう叫んだが、イワさんが無言で頑《がん》としているのを見ると、諦《あきら》めたように言った。「まあいいや。だまされたと思って探してみましょう」

彼からの報告を待ちながら、翌日の金曜日は店にいたのだが、そこへ佐々木夫妻が訪ねてきた。鈴木を告発するための書類が揃ってきたので、いよいよ警察に出向くという。

「でも、わたし、あの人に最後のチャンスを与えてあげたいとは思うんです」

「チャンス?」

イワさんの問いに、鞠子は真剣なまなざしでうなずいた。「はい。自首してもらいたいんです。その方が、罪が軽くなるんでしょう？」

佐々木夫妻が帰っていったところへ、俊明から連絡があった。イワさんは本の山を崩して電話に出た。

「ありました」と、俊明は言った。「新潟県南部の山中です。三月下旬に、菜種梅雨《なたねつゆ》のせいで小規模な土砂崩れがありましてね。それで発見されたんです」

「全部じゃなかろう。どこが見つかった？」

「最初は左手。それから頭です」俊明の声が歪んだ。顔をしかめているのだろう。

「遺体の歯が、めちゃめちゃに叩きつぶされていたそうです。身元を隠そうとしたのかな」

「そういう方法は、効果があるのかい？」

「いえ、ほとんど無駄ですね。至近距離から口のなかに拳銃《けんじゅう》の弾でも撃ち込まない限り、手がかりは残っちゃいますよ。法歯学は進んでるんです」

イワさんは、ふうんとつぶやいた。

「で、その遺体の身元は？」

「まだ判《わか》ってません。時間の問題だと思いますがね」

だろうな、と、イワさんも思った。

土曜日の午後になると、稔がやってきた。梅雨の晴れ間の素晴らしい好天で、久しぶりに太陽をおがむことができたというのに、イワさんは寝不足の仏頂面《ぶっちょうづら》で孫を出迎え、不審な顔をされた。

「どうしたの？」

「人命救助だ」

この不可解な会話のあと、二人は頭を寄せてひそひそと話し合った。そして、その夜遅くには、もっと不可解なことをやった。

二人揃って、黒っぽい洋服に身を包み、懐中電灯をさげて出掛けていったのである。

「ホントに勝算はあるの、おじいちゃん」

「任せておけって」

ところが、明け方になると、二人して首を振り振り帰ってきた。翌日の日曜日は、開店が一時間遅れ、レジに座っているイワさんも、棚を整理している稔も、半分死人のような生気のない顔をしていた。

そのくせ、日曜日の深夜にも、また出掛けた。

その日も好天で、夜空には星がまたたいていた。稔は終電までに帰るはずが、そうはいかなくなって、やっぱり明け方に、二人で肩を落として帰宅した。

「二日や三日、休んでも、退学になるわけじゃないよ」という稔だが、イワさんには、嫁との平和条約がある。午後の横須賀線に稔を乗せ、家へと送り帰した。

稔が帰ったころから、空が泣きだし始めた。今まで晴れていた分を取り戻すような勢いで降り始め、すぐにしとしとという地雨に変わって、下界の人々に、今がまだ梅雨のさなかであることを思い出させるのだった。

その日、田辺書店に足を運んだお客さんのうちの数人は、雨足を見ながら、イワさんがこうつぶやくのを耳にした。

「そうか。俺《おれ》がバカだった。きっと今夜だ。間違いない」

そしてその夜、イワさんと一緒に懐中電灯を持って出掛けていったのは、稔の代役を務めることのできる唯一《ゆいいつ》の人、樺野俊明であった。

「ホントですか?」と言ってるところだけは、稔と違うが。

しかし、本当だったのだ。

その夜、もしも、田辺書店の前でイワさんたちの帰りを待っていた人がいたならば、朝まで待ちぼうけを食ったことだろう。彼らはついにジャックポットを当てて、現場を取り押さえたのだ。

佐々木佑介・鞠子夫婦が、鈴木洋次を、彼のアパートの近くにある橋の上から突き落とそうとしている現場を。

洋次はぐったりと気絶しており、そぼ降る雨に、身体《からだ》の芯《しん》まで濡《ぬ》れていた。傍《かたわ》らには、彼の脱がされたスニーカーのなかに「遺書」がつっこんであり、それもまた、雨に濡れてにじんでいた。

次の週末――

「それにしても、私立探偵《たんてい》そこのけの活躍だったね、おじいちゃん」

冷やかし半分で、稔がそんなことを言う。一件落着のあと、警察にあれこれ聞かれるし目ざとい新聞記者には追いかけられるしで、商売そっちのけの一週間を送らなければならなかったイワさんは、孫の頭をちょいと小突いて、ふふんと鼻を鳴らした。

「年寄りの冷や水だよ。もうあんなことはごめんだね」

もっとも、悪い気はしていない。していないから、わざと澄まし顔をつくっているのである。

「だけど、僕にはいまだに事情がよくわかんないよ。いったいどういうことだったの？　おじいちゃんはどうして、全部あのふたりの仕組んだことだってわかったの？」

「たいしたことじゃない。ゆっくり考えれば、おまえだってすぐにわかったさ」

あの教祖の自伝を売りにきた男から機能性塗料の話を聞いたときに、おや、と思ったのが始まりだった。

「あの引出物の『歯と爪《つめ》』という言葉、あれも、同じ仕掛けで出てきた幽霊文字だったんじゃないかってな。で、研究室で調べてもらったら、どんぴしゃり、低温で発色してそのまま定着するタイプの機能性塗料で書かれてるということがわかったわけだ」

「低温で……？」

「それがミソだったわけだな、この場合」

「わかんないなぁ」稔はにやにやした。「気をもたせないで教えてよ」

「ホテルの本橋さんにもきいて確かめたんだがね。引出物はひとつじゃなかった。三種類あって、そのなかには――」イワさんは、こらえきれずに笑顔になった。「ケーキがあった。結婚披露《ひろう》宴の引出物にはつきものだな、ケーキが」

「そうだよね。だけど、それがどうして――」言いかけて、稔があっと声をあげた。

「そうか、ドライアイスだね？」

時節柄《がら》、生もののケーキの箱のなかには、小さなドライアイスが入れられていた。その冷気で、本の表紙に機能性塗料で書かれた文字が浮き出したのである。

「こんなに手間暇のかかるイタズラを仕組むことができたのは、引出物の内容をよく知っていた人物だけだ。そうなると、こりゃもう明らかだな。鞠子さんが怪しいってことになる」

「だけど、彼女がなんでそんなことを？　何の得があるっての？」

「幽霊文字の騒ぎの結果、どういうことが起こったか考えてごらん」

「鈴木洋次に、美佐子殺しの疑いがかけられた」稔はゆっくりと確認するように呟《つぶや》いた。「というか、鞠子さんが言い出したんだ。姉さんは鈴木洋次に殺されたんだって。それで僕らも巻きこまれたわけだし」

「そうだよな」イワさんはうなずいた。「それが、彼女の狙《ねら》いだったんだよ。鈴木洋次に濡《ぬ》れ衣《ぎぬ》をきせること」

「じゃ、本当に美佐子さんを殺したのは――」

「そう、佐々木佑介と鞠子のふたりじゃないかって、おじいちゃんは思ったんだ。となると、彼らは、最終的には鈴木洋次の口をふさいでしまおうとするに違いない。だから、あんなふうにして張り込んでたってわけだ」

佐々木夫婦の自供によると、姉を殺して資産を奪うことを言い出したのは鞠子だが、計画を練ったのは佑介のほうだという。

「最初は、非常にシンプルなことを考えていたらしい。美佐子を殺し、遺体を隠して行方不明に見せかけ、しらばっくれて心配顔をしてる——と。捜索願いを出したって、駆け落ちの前科のある美佐子のことだ、警察が本腰を入れて探すわけがないと、たかをくっていられる。あとはただ待つだけだ。それも、期限は決まってる。七年だよ。失踪《しっそう》宣告がおりて、美佐子さんが法律的に死亡したことになって、晴れて鞠子が遺産を相続できる日がくるまでだ。これほど安全な殺人は、ちょっとないかもしれないよ」

稔は目をパチパチさせた。「そりゃそうだけどさ、ずいぶん気の長い話だね。お金目当ての殺人としては、効率悪いんじゃない？　当面は何も手に入らないんだもの」

「それが、そうでもないんだよ。美佐子さんはしっかり者で、あのマンションと銀行預金のほかにも、蓄えを持っていた。それも現金でな。リビングの壁にかけてある絵のうしろに、隠し金庫がつくってあって、そのなかに入れてあったんだ。鞠子はそれを知っていた」

「どれぐらいあったの？」

「正確な額はまだわからんが、警察が調べたときには、四百万円ぐらい残っていたそうだ。佐々木夫婦が結婚式や新婚旅行、新居の手配に金を使いまくって、まだそれだけあるんだから、もとは一千万円ぐらいあったのかもしれないね」

「凄《すご》いね」稔はひゅうと口笛をふいた。「たしかに、それならよくわかるよ。当面の一千万円、七年後には全財産。しかも誰にも疑われない。巧《うま》い計画じゃない。それがどうしてあんなふうにこんがらがっちゃったの？」

「これが間抜けな話でな」と、イワさんは苦笑した。「佐々木鞠子は、姉が隠し金庫を持っていることは知っていたが、その開けかたは知らなかったそうなんだ。となると、美佐子さんを殺す前に、それだけは聞き出さないとまずい。鍵《かぎ》の在りかと、ダイヤル錠の合わせ番号だな」

殺人の実行犯は、佑介のほうだった。彼は美佐子を責め立てたが、美佐子もそうそう簡単には教えない。

「彼女だって必死だったんだろうさ」

焦《あせ》る佑介に、美佐子は何度も何度も「鍵は歯と爪のなかよ」と言ったのだという。それはどういう意味かと問い詰めても、とにかく歯と爪のなかだと繰り返すだけ——

「そうやって時間をかせいで、なんとか逃げようと考えてたんだろう。だが佑介も頭に血がのぼってる。ここまで来てあと戻りするわけにもいかない。結局、美佐子さんから必要なことを聞き出さないまま、彼女を殺すことになってしまったというわけだ」

それから佑介は、大慌《おおあわ》てで鞠子の職場に電話をかけた。

「だから、鞠子が言ってた、姉さんの失踪当日に『歯と爪に気をつけなさい』という電話がかかってきたなんていう話は全部ウソだよ。その電話は美佐子さんを殺した直後の佑介がかけてきたものだ。おおかた、『鞠子、美佐子は、鍵は歯と爪のなかだって言ってた。おまえ、どういう意味かわかるか?』とでも言ってきたんだろうよ」

それを聞いた鞠子も狼狽《ろうばい》し、居合わせた皆に、「姉さんがおかしなことを言ってきた」という触れ込みで、『歯と爪』の意味を問い質《ただ》した。

「そして、現実に、鍵とダイヤルの合わせ番号のメモは、『歯と爪』のなかに隠されてたんだね」

『歯と爪』が他の小説と違っているのは、後半部に封がされているという点だ。もちろん、美佐子の書棚《しょだな》にあった『歯と爪』は、とっくに封を切られていたが、封紙は残っていた。鍵と番号のメモは、その封紙の内側に張りつけてあったのだった。

へそくりがその典型的な例だが、大事なものをしっかりと隠しすぎて、隠した本人にも、どこへやったかわからなくなることがあるものだ。美佐子はそれを怖《おそ》れ、たくさんある本のなかに鍵と番号を隠すとき、書名を忘れても、置いてある位置を忘れても、すぐに発見することのできる、特徴のある本を選んだのだろう。

佐々木夫妻は、鍵を見つけだし、金を引き出して我が世の春を謳歌《おうか》していた。もちろん、美佐子の『歯と爪』は捨ててしまった。

ところが、春の長雨で土砂崩れが起こり、美佐子の遺体の一部が発見されてしまったのだ。

二人はあわてた。遺体が発見されれば、まず間違いなく身元も割れてしまう。念のために歯並びは壊しておいたが、安心はできない。そこで――

「発見された遺体の身元が割れる前に、先回りして犯人をでっちあげてしまおうと考えたんだよ」

その哀れな役回りに選ばれたのが、鞠子にしつこく付きまとっていた鈴木洋次だったのだ。鞠子はまず、引出物騒ぎを仕掛け、次には、たまたま鈴木を見たことのあるイワさんを利用することにした……

「あの日、美佐子のマンションで、いろいろな暴露合戦があったんだがね。あれはほとんどすべて、本当にあったことだった。洋次は本当にしようのないやつで、鞠子のあとを尾《つ》けたり、アパートの周囲をうろついて、なかに入ろうとしたり、さまざまな悪さをしてるんだよ。しかも、だらだらした暮らしをしているから、アリバイなんてあるわけがない。だから、それをいいように組み立てられ、並べ替えられてしまったんだ。そういう意味じゃ、彼には、今回のことがいい薬になったろうよ」

「殺人のぬれぎぬを着せられたうえに、殺されそうになったんだもんね」と言って、稔は笑った。「彼、一度だけは、鞠子に呼ばれたからアパートに行ったと言ってるけど、それは本当だったんだね？」

「そうだよ。それも、彼に不利な状況をつくりあげるために鞠子がしたことだ」

「気の毒な男だね」

「それと、彼が『歯と爪』を読んだのは、やっぱり鞠子がその意味をみんなに聞き回ったあとのことだったと思うよ。鞠子としては、美佐子を殺した佑介から電話がかかってきた時、狼狽のあまり、みんなに『歯と爪ってなあに？』と聞き回ってしまったから、あとからそれを洋次と結びつけるのに、えらく骨を折っていたものね」

美佐子の本棚に、封を切った新しい『歯と爪』を置いておいたのも、つじつまをあわせるためだ。

「それはそうと、おじいちゃん」稔が乗り出した。「佐々木夫妻は、どうして、洋次をすぐに殺さずに、月曜日まで待ってたんだろうね。必要な証言が出揃《でそろ》って、告発する前に自首を勧めたら自殺してしまった——という形をとるなら、金曜日の夜でもよかったわけじゃない？　現に、おじいちゃんを訪ねて、書類は揃ったと報告してるんだから」

イワさんは鼻の下をこすった。

「金曜日の夜じゃ、いくらなんでも早すぎたんだろう。土曜日を予定してたんだと思うよ」

「それなのに、なんで遅らせたの？」

「土曜日も日曜日も、雨が降っていなかったからだよ」

洋次を自殺に見せかけて殺すとき、それが無実を主張してのものではなく、罪を認めた上のものだとするためには、どうしても遺書が必要だった。鞠子は、それを、彼からもらった山ほどのラブレターの筆跡を手本に、偽造したのだ。

「だが、やっぱり不安だったんだよ。発見されるまでに、雨に濡れて少しばかりにじんでくれないと、筆跡鑑定ですぐに偽造だとバレてしまうかもしれない。幸い、今は梅雨時だ。何日か待てば、かならず雨になるとわかってたからな」

稔が椅子にそっくり返り、ガラス戸越しに外をながめた。「それにしても、よく降るね」

「六月は名ばかりの月だからな」と、イワさんは言った。

「なあに、それ？」

「おや、稔は知らないか？　六月は、別名水無月《みなづき》というんだよ」

ちょっと考えてから、稔は言った。「鞠子さんのジューン・ブライドも、名ばかりだったね」

イワさんが黙っていると、稔が言い出した。「英語の『歯と爪』という言葉には、熟語としての意味もあるんだって」

「へえ……」

「日本語で言うと、『必死になって』というような意味になるんだよ」

「あまり好きじゃねえな」

「そうだね。僕も同感」稔は言った。「必死になってやることって、あんまりいい事がないような気もするし」

「おじいちゃんもそう思うね」

「でもさ」と、稔は続けた。「おじいちゃん、必死になって長生きしようとしてるじゃんか」

イワさんにはたかれる前に、稔は素早く逃げだした。勢い余ったイワさんは、レジの脇《わき》に積んでおいた古雑誌の山をくずしてしまった。

まあ、いつもだいたいこんなものなのである。

黙って逝《い》った

1

永山路也《ながやまみちや》が父の急死の報を受け取ったのは、夜九時すぎのことだった。社員寮の自室に戻ってみたら、留守番電話に伝言が入っていたのである。

すぐにはピンとこなかった。二回ほどテープを巻き戻し、再生して聞きなおして、やっと伝言の意味がつかめたほどだ。

親父《おやじ》が死んだって。

声に出してそうつぶやき、電話のそばを離れると、六畳ほどの広さの部屋を横切って、洗面所へ入り、ゆっくりと、丹念に手を洗った。

仕事を終えて自室に帰るとすぐに手を洗う——というのは、今の業務を担当するようになってからできた習慣だった。一日中、軍手をはめて仕事をしているのだが、それでも、なんとなく手がベタベタして、甘ったるい匂《にお》いがしみついてしまうような気がするからだ。

石鹸《せっけん》も二種類そろえてある。最初に使うのは、消毒殺菌作用のあるタイプのもの。次に使うのは、ハーブエキスが配合されている、手の皮膚を保護するタイプのもの。最初のうちは、前者のタイプのものしか使っていなかったのだが、それだと、手がひどくかさついて、ささくれができたり、爪《つめ》が割れてしまったりしたので、工夫したのだ。女性がシャンプーを選ぶように、路也は石鹸を選ぶ。女性が髪を二度洗いするように、路也は手を二度洗う。

あまりに急なことだったので、何をどうしていいのかわからなかった。伝言では、アパートの大家だと名乗る男性の声で、「心臓発作のようです」と言っていたが、親父が心臓の持病なんか抱えていたのだろうか――と思う。アパートの部屋で死んだのだろうか。それともどこか外で倒れたのだろうか。

三年前に母親を失《な》くして以来、父の武男とは、父ひとり子ひとりの生活だった。それは文字どおりの「ひとり、ひとり」だ。路也はこの社員寮に入り、武男は下町の二間しかないアパートで自炊生活をしていたのだから。

口うるさい親戚《しんせき》たちは、路也の顔を見るたびに、早く嫁さんをもらって親父を引き取り、一緒に暮らせ――とせっついていた。

「年金暮らしの親父を一人で放っておくなんて、親不孝もいいところだぞ。早いところ身を固めて、孫の顔を見せてやれや」

そんなふうに言われるのが嫌《いや》で、路也はここ数年、身内の法事にも顔を出さないようになってしまっていた。

親父の葬式で、また責められるな、と思った。おまえがグズグズしていたから、とうとう親父さんは一人ぼっちで死ななきゃならなかったじゃないか――と。

（俺《おれ》は喪主か……）

結婚式よりも先に、葬式で主役を務めることになるのだ。路也には、その事実が、自分の運のなさ、人生のつまらなさを、意地悪なほど端的に象徴している出来事のように思える。

とりあえず、武男の暮らしていたアパートへ行ってみなくてはならない。路也はゆっくりと腰をあげた。どうして自分は泣きださないのだろう、とり乱さないのだろう――と思いながら、上着を着た。

父親の死を報《しら》されたとき、あなたは真っ先に何をしましたか？　誰かにこう尋ねられたら、いささかバツの悪いことになる。

私は手を洗いました。きれいに手を洗いました。

外に出ると、その手をあげてタクシーを停《と》め、乗り込んで、運転手に行き先を告げた。シートにもたれ、うしろへ飛び過ぎてゆく家の窓明かりや、コンビニエンス・ストアの看板をながめていると、ようやく、涙が出てきた。

（親父、最後までロクな思い出を残してくれなかったなあ）

そう思いながら、少しだけ泣いた。


武男が倒れ、息を引き取った場所は、アパートの近くの銭湯の脱衣場だった。風呂《ふろ》上《あ》がりにタオル一枚を腰に巻き、扇風機に当たっていて、いきなりどうと倒れたのだ。番台にいて一部始終を見ており、とっさの処置をいろいろとやってくれた銭湯の主人は、

「苦しんだ様子は全然なかったよ。ただ、年齢がまだ若いからねえ……六十五だって？　それがちょっと残念だけど、まあ、幸せな死に方だったんじゃないかい」と、雑駁《ざっぱく》な口調で言いながら、路也の肩を叩《たた》いた。

「あんなきれいな死に方をしてさ、子供孝行の親父さんだったじゃないか」

確かにそうなんだろうな、と、路也も思った。長く寝込んだわけでも、ボケて手を焼かせたわけでもない。ふっつりと姿を消すように死んでいったのだ。

銭湯の主人が呼んでくれた救急車で病院に運ばれ、手当てを受けたことは受けたのだが、担《かつ》ぎこまれてから三十分ほどで臨終を迎えたという話だ。急を聞いて駆けつけ、その場に立ち合ってくれたのが、アパートの大家だ。路也の会社にも、寮にも、何度も電話をかけたが、どうしても連絡がつかなかったので、結局は「亡《な》くなった」という伝言を残すようなことになってしまった——と、半ばは恐縮し、半ばは非難するような目付きをしていた。路也は、そのどちらの感情に対しても、何も答えなかった。自分がその時どこにいたのか、説明することもしなかった。

武男は、アパートの他の住人たちとは、顔をあわせれば挨拶《あいさつ》する程度の付き合いしかなかったようだが、この大家とは親しかったらしい。同年代だからだろう。三ヵ月ほど前から、武男がときどき身体《からだ》の不調を訴えていたことを教えてくれたのも、この大家だった。

「胸苦しい感じになるんだって言うから、早めに大きい病院で診てもらった方がいいよって勧めてたんですけどね」と、辛《つら》そうな顔をした。

「父は医者嫌《ぎら》いでしたから」

「そう。だいたい、出歩くこと自体が嫌いだったようだね。映画を観《み》にいくわけじゃなし、散歩に出るわけでもなし。だけど、近所の内科の先生のところには通ってましたよ。薬ももらってたんじゃないかなあ」

それは事実だった。その開業医は、武男に初期の狭心症の疑いがあることを告げ、煙草《たばこ》や酒、熱い風呂に入ることや、過激な運動を控えるように勧めていたという。薬も出していた。

なんの疑問もない、きれいな病死だ。親父にふさわしいなと、路也は考えた。しかも、銭湯の脱衣場で倒れるなんて、まったく出来すぎている。

父の遺体とは、病院の霊安室で対面した。そのまま一晩をそこで過ごし、翌日、棺と一緒にアパートへ戻ってみると、室内にはもう垂れ幕が張りめぐらされて、通夜《つや》の用意が始まっていた。

こんな次第で、喪主と言っても、実際には、路也は何もしないでよかった。武男の弟、つまり路也の叔父が、よろずにおいて仕切り好きで、万事をてきぱきとやってくれたのだ。気がついたら焼き場に来ていた――という感じだ。出棺の前に、会葬者たちに向かって挨拶をするときでさえ、叔父が考えてくれた文面を、つっかえないように読み上げるだけでよかったほどだ。

亡くなった母が、生前、親戚の葬式に出掛けて帰ってきたあと、なぜかしら妙に生き生きした顔をして、

「揉《も》めごとのないお葬式なんて、絶対ないのよねえ」と言っていたことを思い出した。
「なにかしら、揉めるのよ。焼香の順番とか、誰が挨拶するの、やれ誰がハイヤーに乗って誰がマイクロバスに乗るのって、ちっちゃいことでもね。だけど、それだけ揉めるってことは、考えようによっちゃ、死んだ人にとっても供養《くよう》かもしれないからね」

その母の葬式のときには、確かに小さな揉めごとがあった。母方の親戚のなかで、もっといい病院に入れてやればよかったとか、今さらそんな文句を言うくらいなら、どうしてもっと早くに見舞いにこなかったのかとか、口喧嘩《くちげんか》になったのだ。

父は黙ってそれを見ていた。口出しは一切しなかった。煙草を吸い、葬式饅頭《まんじゅう》を食べていたような記憶がある。それが、生前の母の（ちょっとは揉めたほうが供養になる）という説を知っていたからなのか、それともただ面倒だから放っておいただけだったのか、とうとう確かめないままになってしまった。

（おふくろの時でさえ揉めたのに、親父のときは何にもなしか）

告別式のあいだも、時折目をあげて遺影を見あげながら、そう考えたものだ。

（親父、本当に真っ平《たい》ら人生だったな）

ベタ凪《なぎ》だ。まるで寒天で固めた海だ。それをとろんと生きぬいて、あっけなく逝《い》ってしまった。そんなふうに思っていると、父の昔の同僚や部下たちが、焼香しながら深刻そうな顔つきをしている様子が、少し腹立たしいものに見えてきた。親父はあんたたちに何もしなかった。いいこともしなかったし、悪いこともしなかった。それをあんたたちだってよく知っているだろう？ それなのに、なぜそんなに悲しそうな顔をするんだよ。

骨箱を抱いてアパートへ戻ったのは、午後五時ごろのことだった。武男の部屋は狭すぎるので、親戚一同や、手伝いに来てくれた町会の人たちの精進落としのためには、別に場所を確保してあった。これも叔父のはからいだ。

骨箱を安置し、部屋のなかを片付け、移動してあった家具を戻す。それが一段落してほっとしたころに、それまで中心になって取り仕切ってくれた葬儀屋の責任者が、水色と白の垂れ幕を畳みながら、路也に話しかけてきた。

「息子さん、これをご存じでしたか？」

「これって？」

相手は、武男の寝起きしていた六畳間の隅《すみ》にある、細長い形の本棚《ほんだな》を差していた。通夜や告別式のあいだには、垂れ幕で隠されていたものだ。

相手の顔に、控え目ながら、好奇心の色が浮いている。路也は妙に思った。

「なんですか？」

膝《ひざ》をずらして本棚に近寄り、なかをのぞいてみた。安っぽい組み立て式のものだ。そして、「あれ」と声を出してしまった。

「ねえ、不思議ですね」と、葬儀屋の責任者も言う。「亡くなったお父さんは、本をお書きになってたんですか？」

「え？」

「つまり、これはすべて、お父さんがお書きになった本なんじゃありませんか。それで、こうして保管しておられたんでしょう」

路也は、唖然《あぜん》として本棚を見上げた。

趣味らしい趣味を一切持たなかった武男も、たまに本を読んでいることはあった。大半は安価な文庫本で、内容も行き当たりばったりに選んでいたようだ。それでも、とくに、役所を辞め、さらに連れ合いをなくしてからは、よく本屋をぶらぶらしては、いろいろ買い込んでいたようだった。

父の生前、路也が最後にこのアパートを訪ねたのは、母の三回忌のときだった。約一年前だ。そのときには、雑多な文庫本や雑誌が、ごちゃごちゃと未整理のままこの本棚のなかに詰め込まれていたのを覚えている。

それが、きれいに失くなっている。代わりに、これだ。

ほとんど隙間《すきま》もなく、きちんと肩と背表紙を並べ、詰め込まれている。ざっと見わたし――数えてみると、三百二冊あった。それだけの数の本が、ぴちっと整頓《せいとん》され、すっきりと収めてある。

それも当然だ。本棚に収納されているのは、全《すべ》てまったく同じ本――ただ一種類の本だけだったのだから。

2

路也の勤めている会社では、社員の肉親が死亡した場合、特別休暇を四日間くれる。通夜と告別式に二日間を費やしても、まだあと二日残っていた。

その休暇に、思いがけない使い道ができた。忙しい親戚たちが早々に自宅へと引き上げてしまうと、路也は、一人、武男のアパートに腰を据《す》えることにした。

いったい、この本の大群はなんだろう？　同じ本ばっかり、どうしてこんなにたくさん買い込んでいたのだろう？

四六判というのか、普通の単行本の大きさだが、表紙は薄べったく、ペラペラだ。本自体の厚さも一センチくらいしかない。ページ数は百二十五ページ。実にお手軽な本だ。

題名は、『旗振りおじさんの日記』。著者名は、長良《ながら》義文《よしぶみ》。表紙の見返しのところに著者の顔写真が載せてある。武男と同年輩の——いや、多少は年下だろうか——男性である。茹《ゆ》でたジャガ芋を思わせるような顔だ。頭がきれいに禿《は》げているので、余計にその印象が強まる。顔写真は、せいぜいよく撮れているものを選んだのだろうし、事実、愛想のいい笑顔を浮かべているが、エラの張り具合などから察するに、相当頑《がん》固《こ》そうな老人だ。

葬儀屋はあんなことを言っていたが、路也には、父が本を書くなんてことはあり得ない——と、わかっていた。書くべきことが何もないのだから。

永山武男は、生涯《しょうがい》を一公務員として過ごした男だった。陸運局の支局に勤めていたのだ。ときどき配置がえにあったことはあるが、四十二年間の役人人生のうち、後半の二十年間は、検査登録事務だけを専門に担当して過ごした。狭い机と、来訪する申請者たちに応対する傷だらけのカウンターのあいだを往復することで、給料をもらっていたのだ。

武男はそこで、与えられた仕事をこなし、休憩時間には煙草を吸い、女子職員のいれてくれた番茶を飲み、何十足——いや、何百足の健康サンダルを履きつぶした。そのサンダルを買う店は、四十年間一度も変わることがなかった。そして、ついに役付きになれず、名ばかりの「主任」という肩書きをくっつけてもらったものの、実質的には平職員のまま退職したのだ。

そんな父に、いったい何の書くことがある？　父は呼吸するように自然に役所へ通った。朝は八時二十分のバスに乗って行き、帰りは五時半ちょうどのバスで帰ってくる。帰宅が遅れるのは、年に二度だけ。四月三日の新入職員歓迎会と、十二月一日の忘年会のときだけだ。それだって、十時を過ぎたことはない。

そんな人生に、何の書くことがある？

三十歳で見合い結婚して、2DKの官舎に暮らし、退職までずっとそこに棲《す》みついて、マイホームを建てることさえなかった。いや実際には、退職金と貯金をあわせて家を建てようかと、母の方は考えていたのだが、武男が「今さら面倒臭い」と渋り、そうこうしているうちに母が入院、亡くなってしまったので、その話も消えてしまったのだ。

趣味も持たなかった。休日にはぼんやりとテレビを見ていただけだ。路也は、一緒にキャッチボールをしてもらった記憶さえ持っていない。ナイターに連れて行ってもらったことも、並んで縁日の夜店をひやかして歩いたこともない。休日の父は、いつもただゴロゴロと横になっていた。陸運局にいたくせに、自分は運転免許も持っていなかった。

父は、自分からは何ひとつしないで生きぬいた人だった。生まれてきてしまったから、仕方がない、食べてゆくために働きはするが、それ以上のことを成す義理など、どこにもないと考えていたかのように。

そんな人生に、文章に綴《つづ》って残すほどの、どんなドラマがあったというのだ。「誰でも、一生のうち、一作は小説を書くことができる」という。それが真理ならば、武男は、生まれ落ちたその瞬間に、その権利を誰かに譲り渡して、代わりに、登録係としての判で押したような単調な日常を買ったのだ。路也には、そうとしか思えなかった。

そう、あの葬儀屋の責任者の判断は正しい。普通、一人の人間が、同じ本ばかり本棚いっぱいになるほどに持っていたら、それは自分で書いた本か、もしくは家族の書いた本を買い占めたのだと思うのが当たり前だ。だが、この場合はそれが当てはまらない。武男は他人の書いた本を、まるでそれが貴重なコレクションででもあるかのように、麗々しく本棚のなかに並べていた――

これはいったい、どういうことだろう。

武男が使っていた、でこぼこになった薬缶《やかん》で湯をわかし、インスタント・コーヒーを一杯飲んでから、路也はこの『旗振りおじさんの日記』を読み始めた。最初に奥付を確認すると、発行日は今年の五月一日だ。まだ半年たっていない。すべて、新品同様の本なのだった。

題名には多少の嘘《うそ》があり、これは、著者が自分の生活を日記形式の文章で綴ったものではなかった。肝心なのは、「旗振りおじさん」という名称の方だ。著者の長良義文は、一昨年の春、六十歳で、それまで勤めていた製本会社を辞めたあと、毎日午後三時から四時までのあいだと、夜八時から十時までのあいだ、自宅のある荒川沿いの小さな町の交差点に立ち、自家製の黄色い旗を振って、子供たちの行き帰りを見守った――という人物なのだった。

要するに、ボランティアの〝緑のおじさん〟である。しかし、彼が旗を振って立っていた交差点は、その地域の小学校が指定している通学路のなかにあるものではなかった。それなら、本来の緑のおばさんが立っているから、彼の出番はない。問題の交差点は、一度学校から帰宅した子供たちが、塾《じゅく》に通うために通る道筋の上にあったのである。彼の立っていた時間帯が遅いものであるのも、そのためだ。

　この町には、大きな進学塾がふたつと、そろばん塾がひとつあり、その三つとも、この交差点を通らねば行くことのできない、駅前の繁華街のなかにあった。毎日、大勢の子供たちが交差点を往来する。しかし、小学校には、スクール・ゾーン以外のところにまで人を遣《や》り、交通安全に努めるという頭はない。子供たちを呼び集めている塾の方も、行き帰りのことにまで責任は持たない。

　ところが、問題の交差点は、人身事故の多発する、魔の交差点でもあった。交差するふたつの道は、いずれも、一車線ずつの対面交通で、しかもきちんと歩道が設けられておらず、路面に白ペンキで線を引いてあるだけ。長良氏は、会社を退職し、毎日一時間の散歩を日課とするようになってすぐに、この交差点の危険さに驚き、そこを通る子供たちの安全を心配するようになった――という。

　そうしているうちにも、状況はもっと悪化してきた。あるテレビ番組が、この交差点の、南北に走っている道を、その北側にある幹線道路への便利な抜け道として紹介したことで、急激に交通量が増えてしまったのだ。

　そして長良氏は決心する。旗振りおじさんになろう――と。

「私は無事、会社を勤めあげ、狭いながらもマイホームを建てることができた。ささやかな額ではあるが貯《たくわ》えもあり、妻も私も健康に恵まれている。息子二人は立派に成人し、それぞれ社会の一角で活躍している。好きなところに旅行もできるし、ほしいものはたいがい買うことができる。私は本当に恵まれている。だから、その幸運を恵んでくれた社会に、少しでも恩返しをしたいと考えた」

読み手によっては、この部分に、自慢話めいた匂《にお》いをかぎとることだろう。マイホームもなく、社会の一角で立派に活躍しているとは言えない路也も、それを感じた。そして、あらためて、父はどうしてこんな本をたくさん買い込んだりしたのだろう――と思った。

こういう前書きめいた序章のあと、一昨年の四月から今年の二月末までのあいだに、交差点で旗振りおじさんが見聞きしたこと、子供たちとの触れ合い、無法なドライバーに対して抱いた怒り、行き交う車とそこに乗っている人間たちを観察して感じたこと――もろもろのことを、かなり脈絡のない感じで書きつらねた本題の部分が始まる。その出来事のあった正確な日付が書いてあることもあれば、季節さえはっきりしないところもある。正直に言えば、路也は少し退屈になり、父がどうしてこんなものに執着したのか――という謎《なぞ》さえなければ、途中で放り出すところだった。

読み終えて、武男が部屋のなかに置いていた唯一《ゆいいつ》の時計を——文字盤のところに、商店街の福引きの景品である旨《むね》がはっきり書き込まれている小さな目覚まし時計を見ると、もう昼時だった。急に空腹を感じ、食事をしようと、外に出た。

アパートの周辺には、目ぼしい食べ物屋は一軒しかなかった。古めかしい磨《す》りガラスの引き戸に「宝食堂」と楷書《かいしょ》で書いてある定食屋だ。戸を開けると、タクシー運転手や、近辺の町工場の工員といった感じの客たちで満員で、路也は十五分ほど待たされた。

思いのほか味が良く、量もたっぷりした日替わり定食を食べたあと、ふと思いついて、お冷やのお代わりを頼み、それを運んできた中年の女性店員に、武男のことを訊《き》いてみた。だが、なかなか意図が通じない。しばらくして、やっと、

「ああ、昨日、そこのアパートでお弔《とむら》いがあったでしょう、あの人かしら？」

「ええ、そうです。ここに来たこと、なかったですか」

「ないわねえ。あたし、たいていのお客さんの顔は覚えてるけど、見かけたことないよ」

出入口のところで待っている客が、まだ大勢いる。待つだけの価値のある店だが、こういう繁盛、賑《にぎ》わいを、武男は嫌ったのかもしれない。だいたいが、一人でいるこ

とを好む人間だった。定食屋で相席など、面倒臭くて嫌《いや》だったのかもしれない。路也は早々に席を空けた。

部屋に戻ると、どうしても、同じ本でいっぱいになっている本棚が目についてしまう。でも、どうしたらいいのか思いつかない。

漠然《ばくぜん》とではあるが、あの本を読んでみたら、武男があれを買い占めていた理由がわかるような期待を抱いていた。たとえば、文中に脇役《わきやく》として登場してくるとか。

ずいぶん注意して通読したつもりだが、そんな部分にはぶつからなかった。印刷所や製本所の名称や、表紙の装丁をしている画家の名前までチェックしてみたが、少なくとも、路也がすぐにピンとくるものではなかった。知り合いや、親戚《しんせき》のものではない……

台所をウロウロし、茶しぶで真っ茶色になっている急須《きゅうす》と、蓋《ふた》のしまりが甘くなっている茶筒を見つけ、食器棚のなかから、客用のだるまの湯呑《ゆの》みをひとつ取り出した。

そのとき、妙なことに気がついた。

五つ揃《そろ》いのうち、四つは新品同様に真っ白なのに、ひとつにだけ、わずかだが茶しぶがついているのだ。

誰か、定期的な来客でもあったのだろうか？　なんだか、すべてが怪しげに見えてきてしまいそうだ。

温《ぬる》い番茶をすすりながら、もう一度、『旗振りおじさんの日記』を手にとって、ペラペラとめくってみた。最後のページに、著者の略歴が載せられている。見るともなくそれを眺《なが》めていて、いちばん簡単な方法を試してみようと思い立った。

著者の長良氏に、武男と知り合いであったかどうか、じかに尋ねてみるのである。

略歴の最後に住所が載っていたので、電話番号を調べるのは簡単だった。あれこれ考えているとひるんでしまうので、相手が出たら、その応対次第でなりゆきに任せることにして、電話をかけてみた。

驚いたことに、呼び出しベルが一回鳴っただけで、先方が出た。女性の声だった。そう若くはない。いかにも主婦という感じの名乗り方だった。

「もしもし、長良でございますが」

路也は名前を名乗り、『旗振りおじさんの日記』を書かれた長良義文さんはおられますかと言った。すると、相手は急に沈黙してしまった。

「もしもし？」

呼び掛けると、用心深そうな声が返ってきた。

「あの……どういう御用でしょうか」

「いらっしゃらないのですか?」

「ですから、どういうご用件で?」

路也は考えた。いきなりこみ入った話をすることはない。そこで、

「その、僕は、長良さんの『旗振りおじさんの日記』を拝読して、とても感動したものですから、図々《ずうずう》しいかもしれませんが、ひとことお話ができたらと思ったんです」

先方は、ちょっとため息をついたような音を出した。それから、やや和らいだ口調で言った。「そうだったんですか。あの本を読んでくださったなんて、ありがとうございます。どこで手に入れられたんですか?」

「本屋で……」

「あら、どこの?」

路也は困ってしまった。「どこだったかなあ……ふらっと入ったところだから」

「池袋かしら?」

「え? あーと、はい、そうです」

「じゃ、林々堂ですよ。おじいちゃんが店番をしてませんでした?」

路也は調子をあわせた。「してました、してました」

「あそこには、五十冊ぐらいまとめて置いてもらったんです。あのおじいちゃんが経

営者なんですけど、義父《ちち》の同級生でね」

「ああ、あなたは長良さんのお嬢さんなんですか？」

相手は笑った。「息子の嫁です」

そうか。長良氏には息子が二人いたんだっけ。立派に成人して活躍中の息子が。

「それであの、長良さんは――」

遠慮がちに言い出した路也の声をさえぎって、先方は逆に質問してきた。

「じゃあ、あなたはご存じないのね？　新聞にも載ったんですけど」

「本のことがですか？」

「違うの」相手の声が沈み、少しかすれた。

「義父は亡《な》くなったんです。今年の八月の末に。本を出版した三ヵ月後のことでした」

路也は一瞬言うべき言葉を失ってしまい、お悔やみの台詞《せりふ》さえ頭に浮かんでこなかった。やっと口にできたのは、

「ご病気ですか？」

「本当に何もご存じないのね」

知らないって――どういうことだ？

「父は殺されたんです。殴り殺されたんですよ。それに、犯人はまだ捕まっていません」

3

長良義文は殺された。今年の八月の末、夜十時ごろ、いつもの交差点に黄色い旗を持って立っていて、そこで誰かに襲われたのだという。

長良家の嫁さんは、この話をし慣れているらしい。すらすらと語ってくれた。

「警察は、犯行時刻から見て、これは計画的な殺人じゃないって言うんですよ」

夜十時は、駅前の繁華街にある三つの塾から、もっとも遅い時間まで行なわれる授業を終えた子供たちのグループが引き上げてきて、ちょうど問題の交差点にさしかかるころで、だから、長良はいつも、この子供たちを見届けてから家に帰ることにしていたという。

だから、誰かが、もし、長良に殺意を抱き、以前から計画を練っていたのだとしたら、こんな時間帯を狙《ねら》うはずがない。いつ、子供たちがやってくるかわからないのだから——というのが、その根拠だ。事実、後頭部から血を流しながら路上に俯《うつぶ》せに倒れている〝旗振りおじさん〟の変わり果てた姿を見付けたのは、この子供たちだったのだという。悲惨な話だ。

路也も、それにはうなずいた。これはおそらく、突発的な出来事だったのだろう。無謀運転のドライバーを咎《とが》め、逆襲を喰《く》ったのかもしれない。警察がいまだに犯人を捕らえることができずにいるのも、そういう通り魔的な犯行だったからではないか。

でも、そこに、父の武男がどういうふうにからんでくるのだろう？

長良家の嫁に尋ねてみると、『旗振りおじさんの日記』は自費出版で、全部で五百部刷った。製本は、長良が以前に勤めていた会社が担当した。そのうち、知人や親戚に配った分、林々堂に置いてもらった分、それと、長良氏自身が、交差点で宣伝活動をして売った分などをあわせて、百五十部から二百部ぐらいが捌《さば》けたという話だ。してみると、概算ではあるが、残りの『旗振りおじさん』は、ほとんどすべて武男の手元にあったことになる。

これは驚きだった。急いで尋ねた。

「そちらでは、残りの三百冊はどうなすったんですか？」

すると、長良家の嫁は答えた。

「まとめて買ってくれた人がいたんです。わざわざうちを訪ねていらしてね。大きな運送会社を経営している社長さんだとかで、運転手の安全教育のために使いたいと言って、全部買い取ってくれたんです」

路也はごくりと唾《つば》を飲んだ。「その社長さんのお名前は？」

「さあ……ナガイとかナガヤマとか言ったんじゃないかしら。わたしは直接お話を聞いていないんですよ。お会いしたのは、義父とうちの主人だけで」

「ご主人は、長良さんの――」

「長男です。不動産会社に勤めてますけど」

根掘り葉掘り尋ねる路也に、さすがに不審を抱いたのだろう。

「あのお、もう一度あなたのお名前を――」

路也は急いで電話を切ってしまった。

午後いっぱいを費やして、武男の部屋のなかを、隅《すみ》から隅まで調べてみた。どのみち、この部屋の荷物は整理して、処分できるものは処分し、捨てるものは捨てなければならない。路也一人でそれをやると、また親戚の誰かから文句が出るかもしれないが、この際、そんなことにかまってはいられないと思った。

親父《おやじ》、いったい何をやらかしてたんだよ？

それがわからない。わからないだけに妙な胸騒ぎを感じる。だから、部屋中を引っ繰り返してでも、探しだしたかった。なにかを。

押入れのなかに無造作に積み重ねてあった靴《くつ》の空き箱のなかに、これまたバラで雑然と放りこんである十数枚の一万円札を発見したのは、捜索を開始して一時間ほどのちのことだった。

あっけにとられて、しばらく放心してしまった。いつから父は、こんなふうに現金を貯《た》めこむようになったのだろう？

数えてみると、十二万円あった。パッと見たときの印象よりは、ずっと少ない額だ。方針を変更して、路也は父の預金通帳を探すことにした。相続の手続きの都合もあるから、早めに整理してリストを作っておくようにと、叔父に言われていたことでもある。

使用中の通帳は二冊あった。食器棚《だな》のいちばん下の引き出しに入っていた。ひとつは銀行の、もうひとつは郵便局のものだ。年金の受け取りは銀行の方でしており、郵便局の口座は、公共料金の引き落としのために開設したものであるようだった。

金の出入りに、目立って不審な点はない。入ってくる金は年金だけだし、老人の一人暮らしならこの程度だろう——というくらいの支出しかない。定期預金は額が大きく、不謹慎なことではあるが、路也は心臓がドキドキした。退職金もそのままになっていたことだし、相当持っているはずだと推測はしていたが、これほどとは思わなかった。二千万円近くあるのだ。

しかし、だからこそ余計に、靴の空き箱のなかの十二万円が腑《ふ》に落ちなくなってきた。まさか、あんなふうにして貯金していたわけではあるまい。

一人暮らしの人間が、病気などで急に現金が入用になったときのために、一定額をどこかにキープしておく――ということは、路也にも理解ができる。彼もそうしているのだから。ベッドスプレッドとマットレスのあいだに、常に五万円入れてあるのだ。だが、この十二万円は、そういうたぐいの金ではないような気がした。

ひとまず金を脇に置き、武男が家計簿のようなものをつけていなかったかどうか、調べることにした。母の三回忌のとき、父が、金の出入りの詳細を小さな帳面に記入して、あとで収支決算をしていたのを覚えている。そういう点では几帳面《きちょうめん》な人だった。自分の暮らしの経費についても、なにか残しているかもしれない。

その読みはあたった。家計簿というほどきちんとしたものではないが、大学ノートに、その月の収支を記入してあるのだ。収入は赤いボールペンで。支出は黒いボールペンで。個々の数字には、「保険料」「家賃」など、大雑把《おおざっぱ》な名目も添え書きしてある。

記帳は、連れ合いを亡くし、完全に一人ぼっちの暮らしが始まった、三年前の春から始まり、当然のことながら、先月までで終わっていた。

ノートを調べて、路也はどきりとした。

収入の欄だ。役所を辞めてからは、年金しか入ってこないはずなのに、今年の六月から先月、つまり九月まで、毎月三万円ずつ、青いボールペンで記入してあるのだ。

この三万円には、名目が書いてなかった。路也は指を折って勘定した。六、七、八、九月の四ヵ月。

合計で十二万円だ。靴箱のなかの金と、ピタリと一致する。

これはいったい、どこから来た金なんだ？

さらにノートの記録をさかのぼってみると、ページのあいだから、薄い伝票用紙が一枚、ひらりと落ちてきた。カーボン複写式の名入り伝票だ。

「古書専門店　田辺書店」

所在地は田辺町二丁目五番七号。その下に電話番号も書いてある。

それは本のリストだった。一覧表にして、それぞれ値段をつけてある。いちばん下に合計額三千四百円としるしてあり、支払い済のスタンプが押してある。日付は、今年の五月十五日だった。

ノートを取り上げて、五月のところを開けてみた。ぴったり三千四百円、収入欄に赤いボールペンで書き込まれており、その下には「田辺書店　本の代金」とあった。路也は父の本棚を見上げた。

番地をたどって行くと、田辺書店はすぐに見つかった。武男のアパートから、徒歩で十五分ぐらいの場所だ。

バスの往来する大通りから、一区画うしろに引っ込んだ、静かな町中である。車が二台、すれすれで通り抜けることができる程度の幅の公道に面して建てられた、小さな共同ビルの一階だ。階上の方は空いているようで、建物の幅いっぱいに、テナント募集の幕が張ってある。それと対照的に、一階のこの古本屋は、もうぎゅう詰めという感じで、出入口のすぐ両脇にまで、背の高い書架がびっしりと設置されている。

入り口のすぐそばで、高校生ぐらいの男の子が一人、山積みにした雑誌を、慣れた手つきで仕分けていた。野球帽を後ろ前にかぶり、ジーンズの尻《しり》のポケットにタオルをつっこんで、両手にはめた軍手はインクで真っ黒だ。

店先には、ほかに人の姿が見当らない。路也が近づいて行くと、影がさしたのか、声をかけないうちに、その男の子は顔をあげた。

「いらっしゃいませ」と、きびきびとした口調で言って、すぐに作業に戻った。ちょっとためらってから、路也は言った。

「ここのご主人と話したいんだけどね」

男の子はまた顔を上げ、後ろ前になっている帽子のひさしをぐいと引っ張った。その仕草が、いかにもやんちゃそうな感じだった。

「えーと、持ち込みですか?」

「いや、そうじゃないんだ。前にここに持ち込まれたらしい本のことで……」

「あ、なるほど。ちょっと待ってくださいね」

男の子は身軽に立ち上がり、雑誌の山を崩さないように跨《また》ぎ越えて、とっつきの書架の辺りまで行くと、大声を出した。

「おじいちゃん！　お客さんだよ！」

その声に応《こた》えて、奥のドアが開いた。事務室か、倉庫のような部屋なのだろう。よれよれの作業着の上下を身につけ、やはり軍手をはめた六十五、六歳ぐらいの老人がそこから出てくると、がっちりとした肩を怒らせて、急ぎ足でこっちへやってくる。

「こちらさん」と、さっきの男の子が路也を指さした。すると、その老人は、いきなり男の子の頭の横をぴしゃりとはたいた。

「イテッ！」

「この馬鹿《ばか》たれが。何度言ったらわかるんだ。お客さんを指さすヤツがあるか」

老人は響きのいい低音でそう言うと、路也にむかって頭を下げた。

「失礼しました。なんの御用で？」

毒気を抜かれてしまったというか、いきなり気合いを入れられたというか、路也は調子が狂ってしまった。

威勢のいい老人が、この田辺書店の店主だった。名前は岩永幸吉《いわながこうきち》。さきほど頭をはたかれた少年は、「私のたった一人の不出来な孫でして」ということで、名前は稔《みのる》。高校一年生だという。

路也は簡単に自己紹介をし、急逝《きゅうせい》した父の部屋を整理していて、こちらの伝票を見付けた——ということまでを説明した。

店の奥にある狭い応接室のなかで、路也は店主と向きあって座っていた。ここにも本の山があり、ごたついてはいるが、掃除はいきとどいている感じがした。

「お二人でこの店を？」

尋ねると、岩永という店主は、大きな手を顔の前で左右に振って否定した。

「いえいえ。稔はただの助《すけ》っ人《と》です。店員が二人いるんですが、ここんとこ天気が不順だったもんで、そろってて風邪でダウンしてしまいましてね。しょうがないから身内を駆りだしてきたというわけです」

そこへ、当の稔が、丸い盆に湯呑《ゆの》みをふたつ載せて顔をのぞかせた。

「僕がいなきゃ商売あがったりのくせして」

どうぞ、と言いながら、テーブルに湯呑みを載せる。軍手ははずしており、ちらりと見えた彼の右手の指が、荒れてささくれた様子であるのに気がつくと、路也は思わず言っていた。

「手が荒れてるね。水がしみるだろ?」

稔は軽く目を見張り、自分の手を検分してから、笑ってうなずいた。

「そうですね。どれほど気を付けてても、紙には水分をとられちゃうから」

「そうかな、紙のせいじゃないと思うよ。仕事中、ずっと軍手をはめてるからさ。あれは織りが粗いから、案外手を荒らすものなんだ」

稔は、(へえ?)というような顔で、店主の顔を見た。岩永の方も、興味を惹《ひ》かれたような顔をしている。

「すみません、妙なことを言い出して」路也はあわててしまった。だが、急にこの話題を引っ込めるわけにもいかない。苦し紛れに、「岩永さんも手が荒れませんか?」

岩永は、「荒れますなあ」と答えて、頑丈《がんじょう》そうな歯をのぞかせて笑った。「よろしければ、私のことはイワさんと呼んでください。お客さんは、みんなそうしてくれていますから」

「本当は頑固のガンさんなんだけど、それじゃ露骨すぎるから、読みを変えてるんですよ」と、稔が注釈する。路也は彼がまた頭をはたかれるのではないかと思ったが、今度は、攻撃される前に、首尾よく逃げだしていった。

「口ばっかり達者で困ります。で、あなたは軍手のことにお詳しいんですか?」

路也は笑ってしまった。「そうではないんです。ただ、僕も仕事中ずっと軍手をはめてるというだけです」

「ほほう。ご商売はなんですか」

路也は少し言い淀《よど》んだが、結局答えてしまった。「自動販売機の中身を卸す、清涼飲料の販売会社に勤めているんです」

「そりゃあ、力仕事ですな」

「ええ……でも、それだけならいいんですけどね。最近じゃ、資源保護が大切だってことで、品物を卸す仕事のほかに、顧客のところで出た空缶《あきかん》の回収もやってるんですよ。ベタベタ汚れるし、うっかりすると手を切ったりしますから、軍手は必需品なんです」

ひと息に言ってしまってから、路也は心の内でひそかに惨《みじ》めさを噛《か》みしめた。大の男が一生の仕事とするような種類のものではない――働きながら、いつもそう思っている。アルバイトの学生だって、一日で覚えてしまうくらい、仕事の内容は易《やさ》しいのだ。これでもう少し営業のセンスがあり、ただ注文されたものを配達するだけでなく、顧客を口説いて商品を入れ替えさせたり、新しいディスプレイを考えたりすることができれば、少しは話が違ってくるのだが。

武男が急死したとき、路也が寮の部屋にいなかったのも、実はそのあたりに原因があるのだった。もう少し社交的な能力をのばすことができないものかと、こっそり「話し方教室」に通っているのである。

もちろん、恥ずかしくて、誰にも内緒にしてある。親戚《しんせき》や同僚たちに知られたら、いいもの笑いのタネにされてしまうからだ。

「まあ、僕のことなんかどうでもいいんです」路也は急いで話を変えた。武男の部屋で見付けた複写式伝票の控えを取り出すと、テーブルの上に広げて載せる。

「これは、父がこちらに本を売りにきたときのものなんでしょうか」

イワさんは、伝票を見るとすぐにうなずいた。「ええ、そうですよ。もっとも、お父さんがいらしたんじゃなくて、私らの方で取りにうかがったんですが。本棚に置いてある本を、すべて売りたいというお話でしたから」

「すべて？」路也は目を見張った。「じゃ、本棚を空っぽにしたんですね？」

「ええ、そうです。きれいに空にさせてもらいましたな」

「どうしてそうするか、父は理由を話しましたか？」

イワさんは、記憶をたどるように、眉根《まゆね》のあいだにしわを寄せた。「さあて、ね。特には何も言っていなかったと思いますよ」

五月とは、『旗振りおじさんの日記』が出版された月だ。路也はテーブルの下でズボンの膝《ひざ》のところをぎゅっと握り締めた。

武男は、その時点で既に、あの本を買い占めるつもりでいたのだ。そして、それをきちんと保管するスペースを確保するために、それまであった本を処分して、本棚に空きをつくった――

「そのことで、なにか？」

尋ねられて、路也は物思いから覚めた。イワさんは、頑丈そうな首を心持ちかしげ、路也を見つめている。

「いえ……なんでもないんです」不器用にそう言うと、椅子《いす》をガタガタさせながら立ち上がった。

4

親父《おやじ》はなぜ、『旗振りおじさんの日記』を買い占めたのだろう？　運送会社の社長だなんて嘘《うそ》をついてまで、なぜ？

その夜、父の骨箱と一緒の部屋に、ぺたんこの布団《ふとん》を敷いて横になり、路也は考えた。

なぜだ？　なあ、親父。なぜだよ。それに、あの十二万円はなんの金だ？

毎月三万円ずつ。六月から。つまり、『旗ふりおじさんの日記』の出版の翌月から、毎月きちんと三万――

唐突に、ある馬鹿げた考えが頭をかすめて、路也は布団の上に起き上がった。

『旗振りおじさん』には、あの交差点を行き来する無数の人間、無数の車についての描写がされている。勝手に他人の写真を撮り、断りなしに公表すれば、それは大変なプライバシーの侵害になるが、活字でそれを行なう分には、誰にも文句を言われないで済む。はっきりと実名を出したり、車のナンバーを明記したりしないかぎり、大丈夫だ。

だが――

『旗振りおじさん』は自費出版された書物だった。それも、著者の長良義文が長年勤めた製本所で作られた書物だ。印刷所だって、付き合いのあるところを選んだのではあるまいか。

つまり、あれはまったくの個人の書物であるということだ。出版社を通していない。ということは、書籍の出版に関する一般的なチェックを受けていない可能性が多々あるということではないか。

そして、そうやって無防備に綴《つづ》られた文章、不用意になされた描写のなかに、ある人物にとって非常にまずい、書かれては困るような事柄《ことがら》が混じっていたとしたら、どうだ？

親父はそれを見つけたのじゃないか。

自費出版の書物がどの程度流通するものなのか、路也にはわからない。しかし、『旗振りおじさん』に限っては、現実に池袋の林々堂のような書店が五十冊も引き受けているのである。なにかの偶然で、武男があの本に目を止め、買い求め、読んでみたということは、決してあり得ない話ではない。

その描写、その記述は、車については素人《しろうと》の著者、長良氏にとっては、まったく意味のないものだった。何気なく書いて、さらりと忘れてしまい、なんの意味も感じないものだった。

だが、親父は違う。永山武男は、長年、陸運局に勤めていたのだ。検査登録事務のベテランだった。その親父なら、長良氏が見落としたことにでも、すぐに気がついたかもしれない。

それはなんだったのだろう？　ナンバープレートの偽造か？　それとも、盗難車を改造して売り飛ばしている組織的な自動車窃盗団につながるものだろうか。

ともあれ、親父は気がついた。その意味を理解した。そして——

その「危険な描写」をされた人物もしくは団体のトップを探しだし、恐喝《きょうかつ》していたのではないか？

それがあの、毎月三万円の入金だ。

路也は頭に血が昇ってくるのを覚えた。恐ろしいからではない。恐怖からでもない。興奮していたのだ。

親父は金が欲しかったわけじゃない。絶対に違う。金ならあった。一人暮らしの老人には充分なほどに。

父が欲しがっていたのは、スリル。そして、ある人間よりも優位に立つことができるという、一種の満足感だったのではないか。三万円は、その象徴だったのだ。だから、あんなふうに無造作にしまいこんでいたのだ。

気がつくと、身体《からだ》が震え、路也は涙ぐんでいた。

あの父に、あの凪《なぎ》の人生を送った人に、そんな覇気《はき》があった――

路也は、なにひとつ取り柄《え》のない、面白味のない人生を生きてきた父親を、この目でずっと観察してきた。そして、あんなふうにだけはなりたくないと念願してきた。

だが、現実はどうだ。自分もまた、大学は出たものの、さしたる能力も特徴もなく、誰にでもできるような仕事について、凡々たる人生をおくっている。女性にもてたためしなど一度もない。たとえ見合いであるにしろ、武男は結婚して家庭を持つことに成功したが、この分だと、路也はそれもできないかもしれない。

だから、なんとかしたいと、切に思ってきた。

趣味を持とうと努力してみたこともある。だが、未《いま》だに、夢中になることのできるものに出会えないままだ。手先が不器用だから、細かなことには向いていない。スポ一ツも駄目《だめ》だ。旅行も、楽しいと思ったことがない。

結局、嫌《いや》だ、嫌だと思ってきた父親の生き方を、そっくりなぞっているのである。

自分の心に正直になってみると、路也もまた、食い扶持《ぶち》のためには渋々働くが、それ以上のことをするのは面倒臭いと考えている。少なくとも、そういう無気力な部分を抱えて生きているのだ。

だが、親父にもそうではない一面があったとしたら？　喰《く》って寝て働くというだけではない、生身の人間に対する生き生きとした関心が、ちゃんと息づいていたのだとしたら？

路也もまた、希望が持てる。生まれながらの敗残者で、いつもスタンドから傍観しているだけの人間ではないと、自分を信じることができる。その気になれば、俺《おれ》だって走ることができるのだ――

気がつくと、笑っていた。涙ぐみながら笑っていたのだ。写真のなかでさえ、つまらなそうな顔をしている武男の遺影に向かって、はっきりと口に出して、

「親父、あんた、とんでもない野郎だったんだな」と言ってみた。

武男は、おそらく、月に一度の割合で、相手と接触していたのだろう。そして、口止め料の三万円を受け取るのと引き替えに、そう、まるで領収書を切るように、相手

に『旗振りおじさんの日記』を渡していたのだ。

もちろん、相手と接触する際には、充分に注意を払い、こちらの住まいをつきとめられないように気をつけたことだろう。居所を知られてしまっては、立場が逆になってしまう。おちおち寝てもいられない。

だが、たったひとつ、計算違いがあった。

武男はきっと、相手側に、著者の長良氏はこの強請《ゆす》りにまったくかかわっていないこと、自分がしたことの意味さえわかっていないのだということを、きちんと説明したことだろう。だが、向こうはそうストレートに受け取ってくれなかった。

長良氏をつかまえるのは簡単だ。毎夜、彼が一人であの交差点に立っていることは、あの本にはっきりと書かれている。

強請られた側は、長良氏に会いに出掛けていった。ひょっとすると、彼を脅せば、武男の居所がわかると思い込んだのかもしれない。あるいは、純粋に、強請りのタネをまいた長良氏に仕返しをしたかったのかもしれない。

こうして、長良氏は殺された。あんな時間帯を選んだのは、そうしておけば、通り魔的な犯行に見せ掛けることができるからだ。しかも、マスコミで大きく報道される。武男への、実に効果的な恫喝《どうかつ》にもなるというわけだ。

あんた、ひどいヤツだな——路也は遺影に呼びかけた。ホント、なんてことをやらかしてくれたんだよ。

明日、朝起きたら、ぴしっと身仕度を整えて、警察へ行こう。すべてを打ち明け、『旗振りおじさん』の内容を詳細に検討してもらえば、きっと、親父が何をつかんでいたのか判明するはずだ。そうすれば、長良氏を殺した犯人を捕まえることもできる。

実の親が強請りという卑劣な罪を犯していたのだ。本来なら、心乱れて眠れるどころの騒ぎではないはずだった。

だが、路也は眠った。心地よく眠って、翌朝は、生まれ変わったような気分で目を覚ましたのだった。

5

「偶然というのは恐ろしいもんですな」

田辺書店のあの応接室で、新聞をたたみながら、ジャガ芋を連想させるごつごつした輪郭の顔の持ち主が、イワさんにそう言った。

「だから世の中は面白いんですよ」

イワさんは答え、ジャガ芋顔のお客にコーヒーを勧めた。普通は、来客があっても、番茶しか出さない。ただ、このお客はもう顔なじみで、コーヒー党であることをよく知っているので、気をきかしているのだ。

長良義彦は、うれしそうにコーヒーカップを持ち上げた。もう十年もたって頭が禿《は》げてしまったら、亡《な》くなった父親に生き写しになることだろう。

「永山路也さんは、さぞかしびっくりしているでしょうね」と、彼は言った。「あの人が考えた説は、ほとんど妄想《もうそう》みたいなものだった。だけど――」

「結果的には、彼が警察に駆け込んだことが功を奏して、あなたのお父さんを殺した犯人を逮捕することができたんですからね」と、イワさんはあとを引き取った。

永山路也が、父親の遺影を相手に考えた説は、ところどころで、少しだけ真相と接近遭遇していた。

長良義文は、たしかに、自分ではそれと気付かないうちに、危ないことをやっていたのだ。彼が『旗振りおじさんの日記』のなかで、車の色や形などを描写し、そのうえご丁寧にナンバーまで書いてしまった車のなかに、その時点でそこにいたことを書かれては非常にまずいという車が、一台だけ含まれていたから。

ただしそれは、偽造ナンバープレートだの盗難車だのに関《かか》わる話ではない。もっと単純で、ただし色っぽい話ではあった。

それはある男性の車だった。彼は財産家の妻を持ち、その妻に隠れて浮気をしていた。ある運の悪い夜、旗振りおじさんの長良氏がいる交差点で停車したとき、彼はその不倫の恋のお相手と一緒だったのだ。

ただ、その時はなんとも思わなかった。のちのち、そう、五月になって、またあの交差点にさしかかり、『旗振りおじさんの日記』なる書籍を宣伝しながら黄色い旗を振っている長良氏の姿を見るまでは。

不安を覚えた浮気男は、『旗振りおじさん』を一冊買い求めた。はたせるかな、そこには、彼の車と、彼の不倫の同乗者のことが、はっきりと描写されていた。

自費出版の書籍だから、そうそう広く出回るはずはないが、それでもやっぱり安心できない。思い余った浮気男は、八月のあの夜、こっそりと長良氏に会いに行き、著作を全部買い取らせてくれるように頼んだ。冷静な長良氏は、自分の本をそんなにも欲しがってくれている赤の他人を、すぐに信用したりしなかった。理由を問いつめた。

そして――

「長良氏としては、自分の著作を、処分してしまうとわかった相手に、ただの一冊だって売るわけにはいかない」と、イワさんは言った。「しかし、相手もあとへは引けない。脅すつもりで持ち出したスパナを、思わず振り上げることになってしまった――と、こういうわけですな」

「いやはや、まったく」長良義彦はコーヒーを飲み干し、いい薫《かお》りのするため息を吐いた。

「あのなかに書かれている車のナンバーを全部チェックするなんて、警察もご苦労でしたね」

「ですからそれは、永山路也さんの妄想のおかげでしょう」イワさんは、あのときの彼の真剣なまなざしを思い出した。

「あの人が父親を、ひいては自分を再評価するきっかけをつかんでくれて、本当によかったと思いますよ。彼は彼なりに、能力も魅力もある人ですからな」

実際、あの時の路也のアドバイスに従って、少し気をつけるようにしたら、稔の手の荒れがきれいに治ってしまったのだ。

「今回のことには、私も一役買ってるんですよね？」

自信なさそうに言う長良義彦に、イワさんは笑いかけた。

「もちろんですよ。あなたがここのビルの管理担当責任者でなくて、この店にも立ち寄らず、永山武男さんの噂《うわさ》も耳にしなかったなら、何ひとつ始まらなかったんですからね」

五月の末のことだった。階上のテナントになってくれそうなお客を案内してきた長良義彦は、ついでに田辺書店にも顔を出した。そうやってときどき古本を買ってゆくことが、前からあったのである。

そしてその時、イワさんとアルバイトの店員は、ちょうど、本棚《ほんだな》を空っぽにして中身をすべて売ってくれた永山武男というお客の噂話をしているところだったのだ。

「老人性の白内障で視力が落ちてしまって、日常生活には差し障りがないけれど、とてもじゃないが読書などしんどくて仕方ない——だから本棚を空にすると、こういうわけだったんですよね……」

当時の長良義彦は、父親が自費出版でつくった書物の保管場所に頭を痛めているところだった。

「うちのなかに死蔵してしまうと、なんだか親父が可哀《かわい》そうでね。家族の手前、恥ずかしいんじゃないかと思ったんですよ。だいいち、三百冊からの書籍となると、えらい場所ふさぎになりますからね」

そこでイワさんが一計を案じたのだ。しかるべき倉庫料と保管料を払って、永山武男さんの本棚に、三百冊の『旗振りおじさんの日記』を置かせてもらってはどうか、と。

永山武男は承知してくれた。彼はただでいいと言ったのだが、義彦の方が、口止め料も含まれているというつもりで、金額を提示した。

それが、六月から始まった、毎月三万円の支払いだったのである。長良義彦は、毎月、田辺書店のテナントの件でこちらへやってくるたびに、永山武男を訪ね、支払いを続けていたのだ。三百冊の『旗振りおじさん』を引取りにゆくときの、「大きな運送会社の社長――」という口上は、父親を喜ばせたいために、義彦がこしらえあげたでっちあげだった。

「お父さんには、気の毒なことをしましたな」

イワさんの慰めに、長良義彦は軽くうなずいた。

「私が一度ぐらい、他人の迷惑になるような個所はないか、目を通してから出させてやればよかったんですよ。親父は、自分の著作をつくることに夢中で、そういうことにまで頭が回らなかったでしょうからね」

義彦が帰ったあと、入れ替わるようにして稔が〝出勤〟してきた。ひとしきり、イワさんと事件の話をしたあとで、こう言った。

「ねえ、おじいちゃん。おじいちゃんは、どうして、最初に路也さんがうちを訪ねてきたときに、お父さんは老人性の白内障で視力が落ちていて、そのために本を処分したんですよって言ってあげなかったの？」

イワさんは丸い頭をかいた。「口止めされたんだ」

「へえ……永山武男さんに？」

「うむ。彼としては、あまり自分のことを尊敬してくれている様子のない息子に、これ以上弱みを見せたくなかったんだろうよ」

さらに武男は、長良義彦の頼みを引き受け、三百冊の『旗振りおじさん』を預かったとき、少しばかりにやつきながら、こうも言った。

「この状態で私が急に死ぬようなことがあったら、倅《せがれ》のヤツ、さぞかし不思議がって首をひねるでしょうよ。面白いから、もしそんなことが起こったら、事情を説明しないで放っておいてやってください」

今考えてみると、あの言葉は、心臓に爆弾を抱え、死がそう縁遠いものではなくなったことを実感していたからこそ、口をついて出たものだったのかもしれない。

「青年は大志を抱く。だけど――」稔が言って、いたずら小僧のような目付きでイワさんを見上げた。

「だけど、なんだ？」

「老年は秘密を抱いて死んでゆく——わっ！　ぶたないでよ！」

逃げだす稔の尻《しり》を目掛けて、イワさんははたきをぴしゃりとやった。

詫《わ》びない年月

1

荒物屋の柿崎さん家《ち》には、幽霊が出る。

その噂《うわさ》は、昨年の夏のころから、近所の人たちのあいだで囁《ささや》かれていた。だから、一部では有名な話になってさえいた。今年のはじめ、スーパー「富士屋」の三階にある貸しホールを借りきって、町内会の婦人部が新年会を開いたときにも、その話題が持ち出されたそうだ。

荒物屋と言っても、それは通り名のようなもので、柿崎家では、もう何年も前に商売をやめてしまっている。終戦直後に建てられたきり、改築もなく、とりたてて手入れもしないまま住み続けられてきた木造二階建ての家屋は、ちょっと見にもわかるほどの角度で右へかしいでいるが、その正面の引き戸には鍵《かぎ》がかけられたままだ。数年前までは、それでも、昔は「かきざきや」とひらがなで大書されていた文字の残骸《ざんがい》

――「か　さ　や」――だけを並べた看板が軒の上に掲げられていたのだが、それも今は取り外されてしまって久しい。

これは、なんでも、当時区議会議員に立候補していた、別の町内に住む不動産屋の社長が、自分の名前を連呼しながら宣伝カーで「かきざきや」の前を通りかかったとき、折から吹いていた強い西風に、「か　さ　や」の看板がべこべことあおられているのを発見し、その道がスクールゾーンに指定されていることを考え、抜け目なく頭を働かせて、わざわざ宣伝カーから降りると、

「万が一、登下校中の子供たちの頭の上に、あの看板が落ちてくるといけない。どうかひとつ、この私に外させてください」と願い出て、柿崎のご隠居さんの許しを得ると、自分でハシゴをかけて登っていって、両手を赤錆《あかさび》だらけにして外した――という逸話があるのだそうだ。

その区議会議員候補は、選挙では落ちた。「か　さ　や」の危険な看板を外したという行為は立派だが、選挙違反がひどかったらしいし、本業の不動産の方で、ずいぶんとひと泣かせの所業を積んできたご仁であったそうだから、なんだかんだ言っても世の中の収支決算は公平にできているのかもしれない。彼の看板外しのパフォーマンスには、地獄の閻魔《えんま》さまに「血の池に行け！」と指さされたとき、「ちょっと失礼」

ことわって、その閻魔さまの指先にできていた痛そうなささくれをとってあげた、という程度の功徳《くどく》しかなかったのだろう。

さて。

柿崎家と同じ田辺町内にある古本屋「田辺書店」の経営者にして、この町では珍しい独居老人であるイワさんこと岩永幸吉《いわながこうきち》は、柿崎家の幽霊の話を、独居老人を専門に巡回して歩いている、ヘルパーさんから聞かされた。このヘルパーさんは五十五歳のご婦人で、元は助産婦さんだった女性である。多くの赤ん坊を抱きあげ妊婦を手伝い大量の洗濯物《せんたくもの》を扱い続けて数十年。鍛えあげられた逞《たくま》しい二の腕と、荒れてざらざらの踵《かかと》を持っている人だ。名前を三好淑恵《みよしとしえ》さんと言う。

淑恵さんが初めてイワさんのアパートを訪ねてきたのは、年明け早々の一月十八日、土曜日の午後のことだった。戸口に立つ彼女が、「独居老人岩永幸吉」の暮らしぶりを観察するべくお役所から派遣されてきたヘルパーさんなのだということを知ったとき、イワさんはかなりショックを受けた。

「私はそれほどの老人じゃありませんが」

「そのようですねえ」と、淑恵さんは室内を見回しながら答えた。イワさんはきれい好きだから、室内はいつもきちんと整えてある。自炊もまめにしているし、料理の腕前も、ちょっと得意にすることができるほどだ。今も、歩いて五分ほどのところにある店から、昼食のために帰ってきていたところだったのだ。

「ただですね」と、淑恵さんは薄ピンク色の眼鏡の縁にちょっと触れながら言った。

「わたくしどもの訪問先名簿は、住民登録台帳を基準に作られているものでして、それによりますと、岩永さん、あなたは今年の一月十三日をもって満六十五歳になられましたし、お一人だけでこの住所に住民登録をしておられますから、自動的に、ヘルパーの訪問を受けるべき独居老人リストに記載されてしまうわけなんです」

イワさんは憮然《ぶぜん》とした。「六十五歳で？」

「年金受給年齢でございますでしょ？」と、淑恵さんはあっさり言った。

「たしかに、私は一人で住んどりますが、それは商売の都合上でして、息子も嫁もおりますし、あいつらは、私の見る目に間違いがなければ、もしも私が病気になったりしたときには、ちゃんと面倒をみてくれると思いますよ。ですから、正式な独居老人ではないと思うんですがね」

イワさんの息子と嫁は、それぞれに多忙な共働き夫婦である。その甲斐《かい》あって、十年前に、横浜市内にマイホームを設けた。そしてイワさんも、一昨年先に逝《い》ってしまった旧友に頼まれ、彼の店だった田辺書店の経営を引き継ぐために、東京の下町、荒川の土手下に広がるこの田辺町のアパートに単身引っ越してくるまでは、息子たちの家に同居していたのである。

世間の人たちは意外に思うかもしれないが、イワさんが一人別居を決めたとき、いちばん強硬に反対したのは嫁さんだった。

「お義父《とう》さんみたいに美味《おい》しい鮭茶漬《さけちゃづ》けをつくれる人は、ほかにはいないから」というのが、その理由である。事務所を持って商売しているインテリアデザイナーである彼女は、帰宅が遅いことがしばしばで、気を遣いながら付き合い酒をきこしめして我が家に帰ってきたときに、イワさんがつくってくれる鮭茶漬けを食べることが、生きる喜びのひとつなのだという。

「ねえ、あなた。いっそあたしたちも家を売って、そっくり田辺町へ移りましょうよ。それなら、お義父さんが単身赴任する必要もなくなるでしょう?」

彼女の夫であるイワさんの息子は、これまた多忙で付き合い酒の多い、大手機械メーカーの販売部長の要職にある人だが、さすがに、まだ十五年もローンの残っている家と、親父《おやじ》のつくる一杯の鮭茶漬けを天秤《てんびん》にかけるような乱暴な真似《まね》はしなかった。

「おまえ、親父だって、古本屋を一軒まかされて商売するようになれば、忙しいし疲れるし、今までのように家のなかのことをまめにやってはいられなくなるよ」と説明した。

「じゃ、あたしたちが帰って来るまで起きてててくれなくなるかしら」

「当たり前じゃないか」

「あら。そんなら、単身赴任してもいいわね。反対しないわ」

という具合で、私は一人、この町にやってきたのですよ——というようなことを淑恵さんに説明しながら、イワさんはそわそわしていた。まもなく、稔《みのる》がやって来るからだ。

岩永稔は高校一年生。イワさんの孫息子である。両親と一緒に横浜に住んでいるのだが、毎週末になると、田辺書店に助っ人《すけと》としてやってきて、イワさんのアパートに一泊してゆく。

今、稔がやってきて、イワさんのもとに、独居老人のためのヘルパーさんが訪ねてきているのを知ったら、これはえらいことになる。まずもって向こう半年は、なにかにつけてからかわれるだろう。

「へえ、おじいちゃんて、僕が考えてるよりも、もっとずっとおじいちゃんだったんだねえ」なんて、大声で言いそうだ。

「それに、私にはいい孫がいましてな」と、イワさんは言った。「毎週、遊びにくるんです。ですから、離れて生活していても、家族とはよく連絡がとれてますからな。おかみにご心配をかけることはない。本当にあなたを必要とされているところへ行ってあげてください」

「まあ、そうなんですか」淑恵さんはにこやかにうなずいた。だが、いっこうに立ち去る気配は見えない。それどころか、靴《くつ》を脱いであがってきそうだ。

「お孫さんは、おいくつですか？」

「十六歳です」と、淑恵さんの背後で答える声がした。イワさんは目をつぶった。

淑恵さんは振り向き、自分の頭より三十センチぐらい高いところにある稔の顔を見つけた。

「あら」

「こんちは」と、稔は言った。よれよれのジーンズに、なんだか知らないが派手なワッペンのついたジャケットをひっかけ、野球帽をうしろまえにかぶっている。見るからに機敏そうな少年だが、演劇部の女部長に見込まれ、しつこく入部の勧誘を受けているくらい、可愛《かわい》い顔をしてもいる。実際、女装すると似合いそうだとは、イワさんも思うことがあった。

「うちのおじいちゃん、何かやったんですか？」

面白くない質問だが、しかしこれは、稔がイワさんを現役の人間だと認識している証拠の台詞《せりふ》でもあった。彼がイワさんを「弱いおじいちゃん」だと思っているのなら、「おじいちゃんが何かしたのか」とではなく、「おじいちゃんに何をしているのか」と尋ねたことだろうから。

「わたくし、ヘルパーなんです」と、淑恵さんが自己紹介を始めた。それを聞く稔の顔に、じわりと笑いがにじんでくるのを、イワさんはながめていた。稔は、授業中に教科書に隠してとびきり面白い漫画を読んでいるときも、きっとこんな顔をすることだろう。片目でイワさんの顔をうかがい、残る片目で淑恵さんを見つめ、痙攣的《けいれんてき》に浮かんでくる爆笑を、辛《かろ》うじて口元で引き止めている。

淑恵さんが口上を終えると、稔が口を切る前に、イワさんは先制した。

「おまえ、何を抱えてるんだね？」

さっきからいい匂《にお》いがする。甘い匂いだ。それはどうやら、稔が胸元に抱えている新聞紙の包みから漂ってくるもののようだった。

「あ、これ？」と、稔は包みを差し出した。

「浜長のタイ焼き、買ってきたんだ。おじいちゃん、ちょっと遅れたけど、誕生日おめでとう」

タイ焼きでハッピーバースデーとは、これまた安上がりな話である。しかし、浜長は、駅の近くにある甘味屋で、イワさんごひいきの店だ。稔はなかなか気が利《き》いている。

「まあ、美味しそう」

新聞紙の包みのなかをのぞきこんで、淑恵さんは言った。それからちょっと赤くなった。素直な人である。

「たくさん買ってきたから、いっしょに食べませんか？　うちのおじいちゃん、血糖値が高いから、ホントはこういうもの食べちゃいけないんだ」

稔がそんなふうに提案し、淑恵さんが最初は辞退しながらも結局は「じゃあ」と言って靴を脱いだ。そして、三人でタイ焼きに渋茶と洒落《しゃれ》こんで、いろいろと四方《よも》山《やま》話をして、淑恵さんの仕事の内容などを聞き出しているところで、

「そういえば、わたくしの訪問先に——」という具合に、柿崎さん家《ち》の幽霊の話が出てきたのであった。

「柿崎さんのところは、ご家族が一緒に暮らしていらっしゃいますからね。本来ならわたくしがお訪ねする必要はないんですが、ほら、あそこのご隠居さんは、ちょっとね、軽い惚《ぼ》けが始まってらして。お身体《からだ》の方も少し不自由になってるし。それで、保

健所の方から介護相談ということでうかがったんです。そのときにね……」

八十歳になるご隠居さんが――おばあちゃんなのだが――毎夜、見知らぬ母子《おやこ》二人の幽霊に枕元《まくらもと》に立たれ、それが原因で不眠症にかかっている――というのである。

「ご本人は本当に気に病んでおられましてね。ご飯も食べないし」

稔は心の半分がタイ焼きの方へいっているし、イワさんは、休憩を終えて店の方へ戻る時間を気にしていたから、淑恵さんのこの話を、さほど気を入れて聞いていたわけではなかった。この世に幽霊話はあまたある。稔が言うには、「トイレの数ほどある」。女子中学生じゃあるまいし、目を輝かせて耳を傾けるほどのことでもないと、たかをくくっていたのである。

「まあねえ、柿崎さんのお宅は、なにしろもう建て家が古くなってますでしょう？ですから、隙間風《すきまかぜ》が吹き込んだり柱がきしんだりして、ご隠居さんに嫌《いや》な夢を見させてるんじゃありませんかしらね。でも、いよいよ建て替えるそうですから、ご隠居さんもあと少しの辛抱でしょうね」

そうですねえと、イワさんも稔も同意した。そして、淑恵さんが帰ってゆくと、すぐにその話のことは忘れてしまった。思い出しもしなかった。

二週間後の日曜日、建て替えのために柿崎家を取り壊し、土台を掘り下げて地ならしをしていた業者が、そこに古い防空壕《ごう》の跡を発見したという話を聞くまでは。

そして、その防空壕のなかには、一見して子供のものとわかる小さなものと、大人の女性のものだと思われる細っそりと華奢《きゃしゃ》なものと、二体の白骨が眠っていたのである。

遺骨は二体とも、強い炎に焼かれたかのように、黒く煤《すす》けていた。

2

柿崎家の地下から遺骨が出たという話は、田辺町のなかに、小さな子が三輪車で走り抜けた程度のスピードで広がった。だから、イワさんも稔も、遺骨の発見から三十分としないうちに、そのニュースを耳にしていた。

「防空壕か……」

棚《たな》の整理をしていた手を止めて、イワさんは思わずつぶやいた。

「戦争のときのヤツ？」と、稔があやふやな口調で訊《き》いた。

「そうだよ。おまえ、ボウクウゴウという字が書けるかい？」

稔はしばらく目を上に向け、九九をそらんじるような顔をしていたが、やがて言った。

「書けないや」

今現在は横浜に家があり、単身赴任という形をとってはいるが、もともと、イワさんが生まれたのは、この田辺町と同じような東京の下町である。ずっとそこで育ち、そこで家庭を持ち、そこで会社を勤めあげた。

イワさんの生まれた町は、ここよりも少し海寄りにあった。自転車がすぐに錆びてしまうものだから、少年時代の稔の父親は、よく文句を言っていたものだ。

そしてその町は、またこの田辺町と同じように、第二次世界大戦のころ、激しい空襲を受けた町でもある。

「そうか。稔は防空壕を知らないか」イワさんは、軍手をはめた両手をぽんぽんとはたきながら腰をあげた。

「どれ、ちょっと柿崎さん家《ち》まで行ってみようか。何か話がきけるかもしれない。おまえも一緒においで」

稔はちょっと目を見張った。「めずらしいね。おじいちゃんがそんな野次馬根性を発揮するのは」

「野次馬じゃないね」と、イワさんは言った。「おまえにとって、聞いたり見たりしてしておいた方がいいことだから、言ってるんだ」

週末はお客が多いので、アルバイト君たちも忙しそうだ。レジにいる彼らに「三十分ぐらいで戻るから」と声をかけ、軍手を脱ぎ、きれいに手を洗い、身形《みなり》をざっと整え、稔にも同じようにさせておいて、イワさんは店を出た。

驚いたことに、現場にはパトカーが来ていた。パトロール中のところを時々見かけたことのある、のっぽの若いおまわりさんが、心なしか上気した顔で、集まった町民たちや通過して行く車の交通整理をしていた。

防空壕の跡から人骨が出た――と聞いたら、第二次大戦当時の空襲の被災者を連想するのが、この町の人たちの基本的な反応であろう。それは、戦争を知っている年代以上の人たちだけに限ったことではない。比較的若年層の、二十代後半から三十代ぐらいの住民たちでも、つとそれに頭がいく。それは、繰り返される空襲で多くの犠牲者を出した、この東京の下町地区の学校が、戦後のある時期までは、かなり真面目《まじめ》に、一連の惨事について学校の授業で教えてきたからだ。この惨禍《さんか》の詳細を記録した書物や映画なども、積極的に読んだり観《み》たりするように勧めてきた。おかみは、百年待ってやったって何ひとつやる気を起こさないのだから、我々がなんとかして伝えていこうじゃないか、というこの心意気を、常々イワさんは快く感じていたものだ。

しかし、その教育も、現在のティーンエイジャーたちのところにまでは、届いていないものであるようだ。下町のあまたの学校群も、敗戦から三十年目ぐらいのところで、戦災の記憶を学校を通して伝えていくということに、くたびれてしまったのかもしれない。あるいは、そんなものより、連立方程式の解き方をみっちり教えてくれたほうがいいという圧力に、どこかで膝《ひざ》を折ってしまったのかもしれない。

だから、柿崎家の家屋がきれいに取り壊され、剝出《むきだ》しになった地面を遠巻きにしている人たちの顔には、年代別世代別またその立場ごとに、かなり色合いの違った表情が浮かんでいた。

厳粛と言っていい顔をしているのは、四十代ぐらいまでの人たちだろうか。それより下になると、おっかなびっくりの好奇心というところ。さらにその下になると——具体的には、自転車をつらねて通りかかり、パトカーを見かけてペダルを止めたという感じの、男子中学生の一団だが——ただ単に「死体が出た！」という事実に興奮しているだけである。

「女か？　殺して埋めたヤツがいるんだな。裸かよ？」

ふとっちょの中学生が、ポルノでも観ているかのような不謹慎な口調でわめいている。おまけに、その口元から唾《つば》まで飛んできたので、イワさんは自転車ごと蹴倒《けたお》してやろうかと足をあげかけた。

「おじいちゃん……」

こっそり稔にたしなめられて、辛《かろ》うじてこらえたほどだ。

ヘルメットをかぶった作業員の人たちと、年配のおまわりさんが、地面に開いた八十センチ四方ぐらいの真っ暗な穴をのぞきこんでいる。おまわりさんは手に大型の懐中電灯を持っており、遠くから見ているだけでは、その明かりの先に何があるのかは、まったくわからなかった。

見守るうちに、おまわりさんたちは何事か話し合い、短くうなずきあって、穴の縁から身体を起こすと、こちらの方へと引き上げてきた。年配のおまわりさんと、作業員のなかで一人だけ、左腕に腕章をまいた責任者らしい人が、その場を離れるとき、それぞれ帽子とヘルメットをとって、暗い穴のほうへ深々と、そして長々と頭を下げたことに、イワさんは胸をうたれた。

「やっぱり、三月十日の犠牲者ですかね」

イワさんのすぐそばに立っていた、イワさんと同年配の男の人が、それとない感じで話しかけてきた。

イワさんは、相手をちらと見あげた。相手はちらと見おろしてきた。イワさんよりも、ずっと背が高いからである。

「そうでしょうなあ」

「あれがいちばん、ひどかったですからな」

「八万人でしたっけ。焼け死んだのは」

「そうですね」

昭和二十年三月十日の大空襲は、わずか二時間ほどのあいだに、隅田《すみだ》川、荒川、江戸川に囲まれた東京の下町地区を火の海と化し、八万人以上の犠牲者を出したと記録されている。当然のことながら、これらの犠牲者はみな一般庶民であり、非戦闘員であった。

戦争終結のため、日本国民の戦闘意欲を削《そ》ぎ、気力を失わせるという目的があったにしろ、そして、もしこの空襲がなく、戦争がさらにもつれてあのまま本土決戦になだれこんでいたら、もっと悲惨な事態になっていたという歴史的判断を頭においても、やはり、最初にこれらの地区をぐるりと取り囲む「火の輪」をつくっておいて、退路を断たれた人たちが逃げ場もなくおろおろしているところへ、一平方メートルあたり三発以上とも言われる、恐ろしいほどたくさんの爆弾の雨を降らせたそのやり方は、

ものだ。

「残酷だ」とそしられても仕方のないものだったろう。

冷静に歴史を振り返り、分析することは大切だ。そうすることによってのみ、同じような悲劇を繰り返すのを防ぐことができる。でも、こんな末端の、こんな小さな街角で、時間に埋もれていた遺骨が掘りだされれば、やはり「酷《むご》い」と思うのが人情なのだ。

「あなたは、空襲の経験が？」と、イワさんは隣の老人に尋ねた。

「ええ。ありますよ」

「このへんにいらしたんですか」

「私は当時、東砂《ひがしすな》におりました。で、葛西《かさい》橋のところまで逃げましてね。運よく、本当に運よく、うちの人間は、あの夜、一人もとられないで済んだんです」

作業員の人たちは、穴のまわりにロープを張り、周辺を踏み荒らさないようにベニヤ板を敷いたりしている。その様子を見守りながら、相手はとつとつと呟《つぶや》くように答えた。

「それは、本当に運が強かった」

「あなたは？」

「私の家の連中は、みんな疎《そ》開《かい》してましたよ。千葉の東金《とうがね》のほうに、おふくろの親戚《しんせき》がいましてね。私は、兵隊にとられてましたが」と、イワさんは答えた。

謹聴していた稔が、びっくりしたような声をあげた。「え？　おじいちゃん、戦争にいったの？」

「いかなかった」イワさんは薄く笑った。「赤紙は来たんだがね。軍隊にも、もう集めた兵隊を乗せる船も飛行機も、持たせる銃もなかったんだな。だからおじいちゃんは、毎日九十九里の砂浜で穴っぽりをしていた」

「お孫さんですか？」

隣の老人が、稔の方にちょっと笑いかけながら、訊いた。稔は軽く頭を下げた。

「そうなんです。不出来な孫ですが、こういうところを見せておいたほうがいいと思いまして」

「そうですなあ。うん、そうだ」

老人は、ゆっくりうなずいている。

ちょうどそのとき、作業をしている人たちの方に、体格のいい背広姿の男が一人、急ぎ足で近づいてゆくのが見えた。イワさんの空覚《うろおぼ》えの記憶に間違いがなければ、あれは柿崎家のご隠居さんの長男、柿崎文雄氏のはずである。

ヘルパーの淑恵さんの話によると、現在の柿崎家はたいへんお金持ちで、べつに無理してあの古い家に住んでいる必要はなかったのだ、という。それだけの財を、この柿崎文雄氏は築いていた。中古車販売会社と、保険の代理店をやっているのだそうだ。

「それでも、ご隠居さんがあの家を動きたがらなくてね。柿崎さんの子供たち、つまりご隠居さんから見たらお孫さんたちですけど、その人たちは、ほら、やっぱり若いし、今風の洒落た家に住みたいし、あんなあばら屋みっともなくて嫌だって、すぐ近くに別にマンションを買ってもらって暮らしてたくらいなんですよ。だから、ご隠居さんと一緒にあの家に住んでいたのは、柿崎文雄さんと、文雄さんの奥さんだけ」

淑恵さんは、さすがに事情通だった。

「今度、やっとこさあの家を取り壊すことができたのも、ようやくご隠居さんの許可がおりたからだそうですよ」

「そんなに気の強いご隠居さんだったんですか？　身体は弱ってたんだろうに」

「気持ちはしっかりしてましたね。惚けが始まってると言っても、いつもぼうっとしているわけじゃなくて、時々そうなるだけなんです。普段は、頭はしゃきっとしてました。でもねえ、去年の春先に、肺炎になりかかりましてね。それで、さすがにがっくり気弱になったんじゃないですか。身体の方も、あれ以来、前にもまして弱くなりましたから」

そんな話を思い出しながら、イワさんは、おまわりさんと熱心に話し込んでいる柿崎文雄氏を見つめていた。柿崎氏は、そんな季節でもないのに、妙に汗をかいていて、ハンカチで額を拭《ふ》き拭き、おまわりさんの言葉に相づちを打っていた。

「ねえ、おじいちゃん」と、稔が小さな声で言い出した。「この家に幽霊が出るって噂《うわさ》、覚えてる？」

イワさんはうなずいた。「覚えてるよ」

「あのさあ、その幽霊さ、ここに遺骨が埋まってたから、だから出たんじゃないかなあ」

イワさんは、まばたきをしながら、まだ汗をぬぐい続けている柿崎氏の横顔に目をあてた。

「幽霊が出るというのは……ああ、その噂なら、私も聞いたことがあったなあ、そういえば」

隣の老人が、周囲をはばかるような抑えた口調で、そっと言った。

イワさんは考えていた。柿崎家のご隠居さんが肺炎にかかり、気が弱くなったのは、去年の春先のこと。その後、あの家に幽霊が出るという噂がたち始めた……

その考えを補足してくれるように、隣の老人が言った。

「私は、一時、柿崎のご隠居さんと同じ整形外科の先生に診てもらっていたんですがね。そこの待合室で、その噂を聞きました」

下町では、こういうことはよくあるのだ。

「ははあ。なるほど」

「それによると、幽霊が出る、と騒ぎだしたのは、そのご隠居さんだそうですよ。家の人たちは、これといっておかしなものを見たり聞いたりしたわけでもないそうです」

「そうですか。いえ、私の聞いた話でも、母子二人の幽霊というか幻のようなものが、ご隠居さんの夢枕に立つということでしたね」

柿崎文雄氏は、やっと汗を拭くのをやめた。ため息をひとつついて、なんだかひどく困ったような顔をしている。それはまあ、自分の家の土台から、身元のわからない遺骨が出てきたのだ。困惑するのは仕方ないかもしれないが、イワさんの目には、柿崎氏のその表情の奥に、当たり前の困惑以上の、他人に説明しにくい悩みのようなものを見たような気がした。

やがて、もう一台のパトカーがやってきた。ざわざわしている現場では、ほとんど情報もつかめないが、ことが大きくなってきたのは、まず間違いないようだった。

「空襲の犠牲者の幽霊が、戦争を体験しているご隠居さんの夢の中にだけ、姿を見せたんですかね」と、イワさんは言った。「ほかの人間じゃあ、すぐにわかってはくれないだろうから、とね」

「ああ、そうかもしれませんね」と、隣の見知らぬ老人は言った。何かがまぶしいかのように、目を細めていた。

イワさんと稔は、三十分ほど現場の様子を眺《なが》め、それから店に帰った。どうやら、「科学警察研究所」とかいうところから、おかみの人たちが来て、遺骨を持ってゆき、検査をするようであるらしい。

現場は、しばらくのあいだ、そのまま保存されることになるようだった。子供が迷いこんだりしないように、周辺には柵《さく》が立てられることになった。

店へ戻る途中、イワさんはしきりに首をひねっていた。稔がそれを見咎《みとが》めた。

「どうしたの、おじいちゃん」

「うん」

「何か不審な点でもあるの？」

「おまえ、推理小説に出てくる刑事みたいなことを言うね」

「そうかな」

田辺書店は、出入口のところまでお客さんでいっぱいだった。有り難い、有り難いと、背中をしゃんとのばしながら、イワさんは言った。

「なに、気のせいだと思うんだが」

「気になるね。何さ？」

「あの、さっきの男の人、なあ」

「話しかけてきたおじいちゃん？」

「そうだ。あの人の顔を、どこかで見たことがあるような気がするんだよ。それが、どうしても思い出せないんだ」

「しょうがないよね、脳の変換スピードが落ちてるんだよ。棺桶《かんおけ》に片足突っこんで——」

イワさんに蹴りを入れられる前に、稔はさっと逃走した。そこまではよかったが、お客さんを避けようとして、その結果、荷ほどきしていない古雑誌の山に衝突し、上から襲ってきた漫画本の雪崩《なだれ》に埋まってしまった。

イワさんは笑わなかった。けれど、稔に現場の修復を命じて、あとは知らん顔をしていた。手伝ってもやらなかった。全然。

孫よりは、おじいちゃんの方が偉いのだ。

3

ヘルパーの淑恵さんが、再びイワさんのアパートを訪れたのは、遺骨が発見された翌週の日曜日のことだった。

彼女は、今度は意識的に、イワさんの昼食のための休憩時間を狙《ねら》ってやってきたようだった。重箱に詰めた、お手製のちらし寿司《ずし》を持ってきてくれたのである。

「やあ、これはあいすまんですな」

イワさんはすっかり恐縮してしまった。

「先日のタイ焼きのお礼です。お口にあうとよろしいんですが」

今回もまた、稔が途中から合流した。ただし、今度は、少しそわそわしているのは彼の方だった。食事を済ませ、イワさんがお茶をいれ替えるために席を立ったとき、彼もそっと立ってあとをついてきて、台所の片隅《かたすみ》でイワさんに耳打ちをした。

「ねえ、おじいちゃん。僕、おジャマ虫だった？」

「なんだね、そりゃ」

「あのヘルパーさん、おじいちゃんに気があるんじゃないかなあ」

イワさんは、稔が恐れて目をそらすまで、ふたつの眼《め》でじっと孫息子を見つめた。

「なんでもないよ」と、稔はもごもご言った。

食休みのあいだの話題は、自然と、柿崎家の下から発見された防空壕《ごう》跡と、そこにあった二体の遺骨のことに移っていった。いや実際には、稔がちらちらとイワさんの顔色をうかがいながら、淑恵さんの暮らしぶりや家族構成など、彼女のプライベートなデータを聞き出そうと、その方向に話を持っていこうと試みてはいたのだが、イワさんがそれを片っ端から殲滅《せんめつ》しつつ、強引に話の舵《かじ》をとっていたのである。

「柿崎のご隠居さんの、その後の様子はどうですか？」

イワさんが尋ねると、淑恵さんは上品な感じでお茶をすすりながら、少し考えた。

「あまり、いい状態ではございませんねえ」

と答えたときにも、慎重に言葉を選んでいるという様子だった。

「今は、どちらに住んでおられるんでしょうな。あの家は壊してしまったんだし」

「柿崎さんのマンションの方におられますよ。木造の、それもあれだけ人の匂《にお》いのしみついた古い家から、コンクリートの壁のなかへ移ったでしょう？　すぐに風邪をひいてしまわれましてね。一日、布団《ふとん》に入って寝たり起きたりの暮らしをされているようです」

「でも、幽霊は？」と、稔が口をはさんだ。「遺骨を掘りだしてあげたから、もう幽霊は出なくなったんでしょ？」

淑恵さんは、また少し考えた。たいへんこみいった町中にある、目立たない建物へ行く道順を尋ねられて、さてどうやったらいちばん親切に教えてあげられるかと思案しているような顔だった。

イワさんは、淑恵さんが、(こういう話をこの坊っちゃんにしてもいいものかしら)と、迷っているのだと思った。だから言った。「稔のことなら、気にせんでください。たいていの話になら、ちゃんとついていくことができますから」

淑恵さんは、ちょっと驚いたようだ。イワさんと稔の顔を見比べた。

「そうですか……」

「柿崎さんの家の内輪話になるので話しにくい、ということであれば、お話しにならなくても結構ですしね。ご近所の噂話など、本当はしないにこしたことはないんだから」

淑恵さんはにっこりした。手を動かしていないと落ち着かないのか、思い出したように重箱の蓋《ふた》をかさねたりしながら、ゆっくり話しだした。

「柿崎さんのご隠居さんのことでは、わたくしたちも、今までいろいろ噂を聞いていたんです。例の幽霊話のほかにも、もっと現実的に怖いような話をね」

「現実的に怖い？」

淑恵さんは、稔の顔を見守りながらうなずいた。「そうなの。嫌《いや》な話だから、稔さんみたいな若いかたたちの耳には、あまり入れたくないんですけどね」

「いいんですよ、聞いておいた方が」と、イワさんは言った。「少し身体《からだ》はきかなくなっているが、気の強いお姑《しゅうとめ》さんを、お嫁さんが面倒みてたんだ。家の中には、そりゃあいろいろな修羅場《しゅらば》があったでしょう。そういう私だって、ひょっとしたら嫁や息子や孫に世話をかける立場になるかもしれない。他人《ひと》ごとじゃありません」

「やなこと言わないでよ、おじいちゃん」

稔は顔をしかめたが、イワさんは頑固《がんこ》に言った。

「ホントの人生は、おまえの好きなトレンディ・ドラマみたいに、いちばんいいところで終わるわけじゃないんだ。淑恵さんみたいなお仕事をしている人の話を、よおく聞いておきなさい」

「僕、トレンディ・ドラマなんて観《み》ないよ」と、稔は口を尖《とが》らした。

「テレビドラマは、わたし、大好きよ」と、淑恵さんが楽しそうに言った。「主人公のカップルが結ばれて、ハッピーエンドになるのがいいですよ。若い頃《ころ》のこと、思い出しますからね」

ちょっとのあいだ、窓越しに、百メートルも彼方《かなた》を眺めるような目をしてから、淑恵さんは本題に戻った。少し、声が小さくなっていた。

「この前も申し上げましたけど、去年の春先に、柿崎のご隠居さんが肺炎を患《わずら》われたでしょう？　あの前に、お嫁さんと、かなり深刻ないざこざがありましてね」

ご隠居さんは、お嫁さんが薬の量を云々《うんぬん》してあたしを死なせようとしている――と訴えたのだという。

「直接その訴えを聞いたのは、わたくしのヘルパー仲間の人で、この人はベテランですから、あわてはしませんでした。すぐにお嫁さんに事情を聞くと――」

柿崎のご隠居さんは、やっぱり年齢のせいだろう、よく薬を飲み間違えるのだそうだ。それで、薬の管理、医者から処方箋《せん》をもらうことなど、実際的なことは、すべてお嫁さんの方でやっていた。

「それが、ご隠居さんの目には、悪いふうに見えたんでしょうね」

柿崎のお嫁さんは、もちろん濡《ぬ》れ衣《ぎぬ》であるこの訴えに、深く心を傷つけられた。だが、ヘルパーさんや、ご隠居さんの主治医の先生のとりなしもあり、また、このお嫁さんはなかなかできた人だったので、感情的になって爆発するようなことはなかった。

「もともと、ご隠居さんの病気は、もう老衰からくるものばかりでしてね。投薬しても、それでどうこうできる種類のものじゃなかったんです。対症療法ばっかりで。そのころも今も、お医者さまの方で出している薬は、とても弱いものばかりでした。ご隠居さんが『夜、眠れない』というので、睡眠薬も出すようにしていたんですが、それだって、十日分を一度に飲んでも死んだりしないというくらい、軽いものだったんです」

　そこで、お嫁さんとお医者さんたちは話し合い、薬の管理をご隠居さんに任せることにした、という。

「それで少しは丸くおさまったところに、あの肺炎でしょう？　必死に看病して、ようやくよくなったと思ったら——」

　ご隠居さんは、お嫁さんにむかって、

「これでやっとあたしが死んで、厄介払《やっかいばら》いができると喜んでたんだろうに、生き返っちまって悪かったね」と言ったのだそうだ。

　淑恵さんは悲しそうに首を振った。

「お嫁さんが気の毒でしたねえ。お嫁さんと言ったたって、もう五十七歳ですから、体力的にもそうそう無理がきくわけでもないし、自分もそろそろ孫ができようかという立場なんですよ。いいかげん嫌になっちゃったって、さすがにこぼしていました」

神妙な顔をして聞いていた稔が、こちらの横顔をそっとのぞいている――イワさんはそれを感じたが、あえて何も言ってやらなかった。

「それからしばらくしてのことですよ。ご隠居さんが、母子《おやこ》の幽霊が夢枕《ゆめまくら》に立つ、と言い出したのは。ご隠居さんたら、あっちでもこっちでもその話をするものだから、すっかり噂になってしまって。おまけに、怖くて眠れないから睡眠薬の量を増やしてくれって駄々《だだ》をこねて、もう本当に大変でした」

ご隠居さんは、恐ろしそうに肩を縮めて幽霊話をしたあと、しめくくりに、必ずこう言ったのだそうだ。

「やっぱり、この世には幽霊ってものがいるんだね。だから、あたしゃね、嫁に邪険にされていびり殺されたら、きっと化けて出てやるよって、そう言ってやってるんですよ」

淑恵さんは、渋い顔をしているイワさんに笑いかけた。

「歳《とし》をとるって、悲しいですね。家族の人たちに、そんな意地悪なことを言うという形でしか、甘えることができないんですよ」

散々そんな台詞《せりふ》を吐いたあと、ご隠居さんは、「幽霊が毎晩出てきて、気味が悪くてしょうがない。もうこんな家に住んでいるのはやだよ」と言って、それまでどれほど説得されても許さなかった建て替えを、唐突に許可した。

「よおく地鎮祭をして、拝んでやってくれ、と言ったそうです」

やれやれと、柿崎家の人たちは、建て替えのプランを練った。そして、いざ家を壊してみると、あの遺骨が出てきたというわけだ。

「柿崎家の皆さんは、びっくり仰天という感じだったようですよ。幽霊なんて、またおばあちゃんが嫌味半分に言ってる作り話だ、と思っていたのに、本当にお骨が出てきたんですからね」

だから、あの時、柿崎文雄氏はあんなに冷汗をかいていたのかなと、イワさんは考えた。

「今のマンションには、幽霊はついてこなかったんでしょ?」

稔が尋ねると、淑恵さんはにこにこしてうなずいた。「ええ。大丈夫だったそうですよ」

イワさんは訊《き》いた。「あの遺骨は、やっぱり空襲の犠牲者のものだったんですか?」

「ええ。まず間違いないそうです。調査の結果、五十年近く前に亡《な》くなった方のもので、十歳ぐらいの男の子と、三十代から四十代半ばぐらいの女性の骨だということがわかったそうです」

「三月十日のですかね？」

「ええ、きっとね」と、淑恵さんは目を伏せた。「すっかり焼けただれているし、身元を示すものが何も残っていないんだけれど、ほら、このあたりの土地は、古くから住んでいる人たちがずっと残っているでしょう？　そういう人たちからコツコツ聞き込みをすれば、身元を特定できるかもしれない。そして、血縁の人たちを探しだして、お骨を返してあげたいって。郷土史の研究グループや、『東京大空襲を語り継ぐ会』のメンバーの人たちが、みんなで調査してくれることになったそうです」

「警察は駄目かな？」

「殺人の時効が十五年でしょう？　それを過ぎると、ねえ」

「あ、そうか……」稔は口をつぐんでしまった。

「あの防空壕の跡はふさがれて、建て替えの方は続行できるんでしょうかね？」

「そうでしょうね。ただ、もうしばらくはあのままにして、写真を撮ったり、いろいろ調査をしたりするようですよ。今じゃ、防空壕の跡なんて、貴重な遺跡みたいになってきてるんですね。そちらの方も、さっき言った『語り継ぐ会』のメンバーの人たちが中心になって進めているようです」

「そうですか。まあ、柿崎さんの家も大変だが、ああいう記録はちゃんと残して伝えていかないといけませんからね」と、イワさんは言った。「それで、ご隠居さんはどうです？　遺骨が出てきたことに驚いていましたか？」

淑恵さんは首をかしげた。「それが、そうでもないんです。ご隠居さん、急に静かになっちゃいましてね。お嫁さんも驚いてましたよ。やっぱりショックだったのかしら」

「嫌味のつもりで幽霊の作り話をしてたら、ホントに骨が出てきたんだからさ。びっくりしたんだよ、きっと」

イワさんは、また、あの柿崎文雄氏の額の汗を思い浮べた。

イワさんにはもうひとつ、飲みそこなった錠剤のように胸につかえている疑問があった。例の、柿崎家取り壊しの現場で出会った、同年配の男のことである。見覚えがある。たしかに。だが、どこで見かけた顔なのか、さっぱり思い出すことができないままなのだ。

お客の顔なら、忘れるわけがない。また、覚えてはいなくても、(ああきっとお客さんだったんだな。だから見覚えがあるんだ)と、すぐに得心がいくはずだ。それがない。だから納得がいかないのだ。あの顔の、あの年配の男性客を、田辺書店のなかで見かけたという記憶はない。これは断言できる。

「だけどさ、それ以外のところで見かけたっていったら、どこだろうね。おじいちゃんの生活は、この店を中心に回ってるんだもんね」

商店街の八百屋の店先だろうか？ スーパーマーケットだろうか。それともクリーニング屋？

でも、逆に、そういう場所——田辺書店と商売に関《かか》わっていない場所で見かけた顔なら、ここまで気になるほどに、(どっかで見た顔だ)と、イワさんが記憶しているはずがないのだ。イワさんは、商売以外のことだと、とんと物覚えが悪いのだから。

「おじいちゃんの内蔵メモリは、商いのことだけでいっぱいだからねえ」と、稔が言った。「内蔵メモリ」の意味がすぐにピンとこなかったので、イワさんも今度は怒らなかった。

(怒ったのは、この事件から一ヵ月ほどのちに、秋葉原の電気街にトースターを買いにいって、たまたまワープロのセールをしている売場を通りぬけ、そばで売込みをしていた店員の口から、「内蔵メモリ」の正体のなんたるかを聞かされたときである。イワさんは、その場ですぐ横浜の家に電話をかけ、稔に剣突をくらわせてやったが、稔はもうそのころには自分の言ったことを忘れていたので、てんでトンチンカンなことになってしまったのだが、まあこれはまったく別の話だ）

淑恵さんに会ったことで、くすぶっていた疑問が再燃し、イワさんは一所懸命考え続けたのだが、結局その日も、例の老人の顔をどこで見かけたのか、思い出すことができないままだった。夕方からはイワさんがレジに入ったので、何事かぶつぶつ呟《つぶや》き、首をひねっている店主に怯《おび》えて、お客さんはあんまりレジに近寄ってこなかった。つまり、立ち読みばっかりされたということだ。レジの周辺以外は、まるでちょっとしたラッシュ時の電車内のように、立ち並び本を読みふける人たちでいっぱいになった。

もともと、田辺書店では、イワさんがおかしな様子をしていないときでも、レジの周辺の棚《たな》には、あまりお客が寄ってこない。お客さんは、さっと来て支払いをして、さっと去る。もちろん、レジ周りにも本が多数置いてあるし、それらはみな売り物なのだが、すべて、店員に頼まなければ取り出すことができないように展示してあるからだ。

これをイワさんは、図書館にならって「閉架」と称している。かといって、これらの棚にあるのは、貴重な本、高価な本ではない。これらは、イワさんがにらみをきかせ、お客の年齢・風体を観察してからでないと売らない、と決めてある本たちなのだ。薬品関係の本が、圧倒的に多い。毒物について網羅《もうら》してある事典などもそうだ。刃物のカタログもあるし、銃器の専門書もある。

「少し考えすぎじゃない?」と稔に言われたこともあるが、護身術の本もある。これは、見方をかえれば、人を襲う術を教えていることにもなるからだ。

『殺人術』なんて本は、レジのイワさんからいちばんよく見えるところに置いてある。自由な人間にむかって、これこれの本を読め、これこれの本は読んではいけない――と強制することは間違っている。これは、イワさんも全面的にそう思っている。

だがしかし、これだけの書物の洪水《こうずい》の中には、たしかに、小さな子供たちの目に不用意にふれさせたり、何やら深刻に思いつめ、血走った目をして手の指を震わせている青年には手渡したくないタイプの本も、また存在しているのである。

地上にはあまた書店がある。イワさんが一人、田辺書店のなかだけで目を光らせていたところで、大勢には影響あるまい。ほんの気休め、自己満足にすぎないだろう。

しかし、やらないよりはましだと、イワさんは思っている。

それに、こうしておくと、お客さんと会話する機会も増えてくる。

半年ほど前のことだが、この「閉架」に入れてあった『法律の抜け穴事典』をくれと言って、ある若い女性が声をかけてきた。ジーパンにトレーナー、化粧もしていない顔で、髪もぼさぼさである。

イワさんは考えた。仮に法学部の学生だとしても、いきなり抜け穴事典に手を出すのはちょっとおかしい……

じいっと相手を観察していると、ああ、怪しまれているのだな、とわかったのだろう。彼女の方から口を開いた。周囲をうかがいながら、小さな小さな声で、

「あたし、実は推理小説を書いてる駆出しの作家なんです」

雑誌の原稿依頼があって、それはもう本当にうれしくて、はりきって書こうとしているのだけれど、アイディアが全然浮かんでこない。そこで、何かネタ本になりそうなものはないかと、足を運んできたのだという。

イワさんは、笑いながら彼女に抜け穴事典を売った。半月ほどして、おかげさまで締切に間に合うように短篇小説が書けた、と報告してきた彼女に、イワさんは一冊の本を見せた。彼女のデビュー作であった。

「市場にあったから、仕入れてきたんだよ」

出版の世界には、古本屋に出回るようになったら、その作家の本が動いていること

だという、ひとつの目安がある。彼女もそれを知っていたので、いたく喜んでいた。

もっとも、その本はなかなか売れなかった。二ヵ月ほど店内に置いて、最後には、イワさんは彼女にサインをもらい、その本をアパートに持って帰った。

「あたしがうんと売れっこになれたら、イワさん、たくさん仕入れてね」と言っていた彼女は、つい最近、よその町に引っ越していってしまったが、どうやら元気で頑張ってはいるらしい。

かように、「閉架」にしておくと、面白いこともあるのだ。

しかし、この日は、ちっとも面白くなかった。イワさんはずっと考え続けた。稔は働き続け、あいだに十分間ほど、お客さんに混じって漫画の立ち読みをした。

午前零時に店を閉めるころには、イワさんは考え疲れてしまっていた。稔は「腹減ったあ」と呻《うめ》き、これから繰り広げられる夜食の宴に――今夜はもんじゃ焼きをやろうというのだ――思いをはせているようだった。

田辺書店からイワさんのアパートまでの短い行程のあいだに、小さな児童公園と、その脇《わき》に建てられた消防団の建物の前を通りすぎるところがある。イワさんは、田辺町に引っ越してきてからこっち、この消防団の集会所兼備品倉庫の扉《とびら》が開いているのを見たことがなかった。

今夜、それを初めて目撃した。観音開《かんのんびら》きの扉が全開になり、その前で四、五人の男たちが頭を寄せあっている。

そのなかに、柿崎文雄氏の姿もあった。

「どうしたんですか？」

声をかけると、男たちがいっせいに振り向いた。みな、消防団員や、町会のまとめ役をしている人たちばかりだった。

口を開いたのは、柿崎文雄氏だった。今夜も、額とこめかみに汗を浮かべていたが、それを拭《ぬぐ》う余裕もないようだった。

「うちの隠居が――母がいなくなったんです。姿が見えないんです。ふっつり、どこかへ消えてしまったんですよ」

4

事情は、すぐにわかった。

柿崎のご隠居さんは、夜九時ごろにお嫁さんに寝床まで白湯《さゆ》を持ってきてもらい、それでいつもの薬を飲んだところを確認されている。そのあと、ずっと眠っているのだろうと思われていた。ところが、零時近くになって、お嫁さんが寝る前に、毎晩そうしている習慣に従って、ご隠居さんの様子を見にいったとき、寝床は空っぽだった。体温も残ってはいなかった。

部屋中、家中、物置のなかまで探してみたが、ご隠居さんはいなかった。少し身体がきかなくなっている、年寄りの足だ。遠くへいけるはずもない。この時点で、柿崎文雄氏は懇意にしている近所の人たちに応援を求めた。即座に消防団のメンバーが集められ、捜索にとりかかる算段をした。そこに、イワさんと稔も通りかかったというわけだ。

二人はすぐに、捜索隊に加わった。人数は次第に増えつつあった。警察にも通報が行き、夜分に恐れ入るがという前置きをつけて、拡声器で呼びかけながら、パトカーが巡回を始めた。

しかし、一時になっても、二時をすぎても、ご隠居さんは見つからなかった。

イワさんと稔は、土手沿いに夜道を捜索するグループに入れられた。寒さにかじかむ手をこすりながら、大声で柿崎のご隠居さんを呼びながら、土手下を二往復、土手にあがって二往復。

「柿崎のおばあちゃーん」

「柿崎のご隠居さあん！」

最初は土手から下の道路を照らしていた懐中電灯が、土手から川面《かわも》の方を照らすようになる。イワさんは、すぐ脇を歩いている稔の歯が鳴っている音を耳にした。

「寒いかい？」

「違うよ。怖いんだ」

稔は炭のように真っ黒な川面を見ている。

「こんなところに落ちてたら、柿崎のおばあちゃん、助かるはずがないよ」

「そのことはまだ、頭のなかにしまっときな。いいな？」

運河の上には、釣《つ》り舟屋の仕立て船が何艘《そう》も、白い腹を見せて静かに浮かんでいる。その船体が静かに揺れている。川は流れているのだ。

分厚いジャケットを着込んだ男たちが、首を縮め背中を丸めながら、それでも機敏に器用な足取りで、船から船へと飛び移り、暗い川面を照らしている。釣り舟屋の軒に、みんな明かりがともっている。

「巡視艇に出てもらった方がよくはねえかな」と、同じグループの誰かが言っているのを、イワさんは耳にした。

「こっちの方を特に力を入れて探すのは、何か理由があるんですか?」と、イワさんは尋ねた。

掘割りや運河の多い町では、子供がいなくなったりすると、まっさきにそういう水《み》周《まわ》りから捜索を始める。遊びにきて、誤って落ちている可能性が高いからだ。それはイワさんも承知していた。

でも、柿崎のご隠居さんの場合は、ちょっとどうだろうと思ったのだ。ご隠居が、夜中に土手の方までやってくる理由はあるか?

問われた相手は、鼻の下にチョビ髭《ひげ》をたくわえた感じのいい中年男性だったが、頭を振りながら、ひそめた声で答えた。

「柿崎さんの話じゃ、ご隠居さん、以前からお嫁さんと喧嘩《けんか》するたびに、『あたしなんか川へはまって死んじまえばいいと思ってるんだろう。そうしてやるから』と言ってたそうなんですよ」

イワさんは、飛びかう懐中電灯の明かりを目で追いながら、暗澹《あんたん》たる気分になった。夜の体重がどっしりと重くなって、肩の上にのしかかってきたような気がした。

稔の歯が、また鳴っている。船の上の男たちは、長い竹竿《たけざお》で真っ暗な水面を、ぴしゃ、ぴしゃっと叩《たた》き始めた。

「柿崎さんも災難だなあ」と、チョビ髭の男が呟いた。彼が「柿崎さん」と呼んでいるのは、もちろん柿崎文雄氏のことである。

「あたしはあの人と、『東京大空襲を語り継ぐ会』でも一緒に活動してるんですがね。今度、ほかでもない自分の家の下に防空壕《ごう》の跡があったことで、あの人、いっそう責任感に燃えてましてね。遺骨が発見されて以来、ほとんど家にも帰らないで、身元の特定のために調査に走り回ってたのに、その足元で、自分のおっかさんがこんなことになるなんて……いい人なのになあ」

ほう、と、イワさんは思った。「柿崎さんは、『語り継ぐ会』のメンバーなんですか」

「ええ。中心メンバーの一人ですよ」と、チョビ髭氏はうなずいた。「もう十年以上前になるかなあ。亀戸《かめいど》の方で、やっぱり防空壕の跡が見つかったことがありましてね。それが、柿崎さんの会社のすぐそばだったんです。で、それ以来、運動の方に加わってくれましてね。今度も、自分の家の建て替えのスケジュールを延期して、発見された防空壕の跡を、資料として残せるように、時間をかけて調べることができるように計らってくれたんですよ」

そのとき、別の方面を探していたグループが、「おーい、見つかったかあ」と声をかけながら近付いてきた。チョビ髭氏は、大きく両手をバツ印に交差させながら、「駄目《だめ》だあ」と答え、そちらの方に歩いていった。

土手の上にとり残されたイワさんの頭のなかで、「内蔵メモリ」ならぬ内蔵された知識が動きだした。

あっちとこっちとを結びつけ、関連させ、考える。

やがて、震えながら川面を見つめている稔の肩に手を置いて、イワさんは小さく言った。

「稔、手伝ってくれんか」

「いいよ。何するの?」

「柿崎さん家《ち》に行ってみるんだ。防空壕の跡をのぞいてみるんだよ。あそこはまだ、発見されたときのまま、地面に穴が開いている」

それから十五分後には、柿崎家の敷地内の、あの防空壕の跡のそばに、駆けつけた救急車が横付けされていた。

ご隠居さんは、防空壕のなかにいた。小さく身体《からだ》を丸めて、眠っていた。心臓が弱っているお年寄りのことなので、あと一時間発見が遅れたら、助からないところだっ

りったけを。

ご隠居さんは睡眠薬を飲んでいた。お嫁さんと主治医の目を盗んで蓄《た》めた分の、あた。

5

その週の中ごろに、事件の詳細がはっきりした。

「柿崎のご隠居さんは、自殺したかったんだね？」

先回りをして、稔が言った。電話なので表情は見えないが、あまり元気な声を出してはいない。イワさんも、気分は同じだった。

「もう、きれいに死にたかった。だから、憎まれ口をきいてみんなに嫌《きら》われて、薬のことでいちゃもんつけて睡眠薬を集めて——」

「そうだな。そう思うよ」

「だけど、どうして防空壕に入ったりしたの？」

「あそこなら、朝まで発見されないと思ったからだろうよ。家では、薬を飲んでも、すぐに様子がおかしいことに気づかれてしまうからな」

「そうか……」

稔は、ちょっと沈黙した。

「ねえ、おじいちゃん。柿崎のご隠居さんは、自分の家の下に防空壕の跡があることを知ってて、それで、それを利用するために、建て替えを許して土台を掘り返させたのかな？　それとも、防空壕が見つかったのはただの偶然で、たまたまそれを利用しただけ？」

長いこと、イワさんは答えなかった。電話線のなかを沈黙が流れ、几帳面《きちょうめん》なＮＴＴのコンピュータが金勘定をしている音まで聞こえそうな感じがした。

「おじいちゃん？」

ゆっくりと鼻から息を吐いて、イワさんは答えた。「いや、おじいちゃんは、あれは偶然じゃないと思うよ。ご隠居さんは知ってたんだ。知ってて、あそこで死にたかったんだろう」

イワさんがそれに気づいたのは、あの夜、土手の上で、チョビ髭の男から、柿崎文雄氏も「語り継ぐ会」の中心メンバーであるということを教えられた時だった。

「柿崎さんがそういう人なら、自分の家の下に防空壕の跡を発見したとき、すぐに埋めたり壊したりしないで、調査や記録のために、しばらくのあいだはそのまま保存しておくに違いないと、ご隠居さんは思ったんだよ」

だから、あんなことをやったのだ。

「じゃ、ご隠居さんは、あそこに防空壕があることも、あそこに遺骨があることも、みんな知ってたのかな？」

「そうだね」

「どうしてさ？　それ、どうして黙ってたの？　どうして今まで何も言わなかったの？」

イワさんは言った。「稔、考えてごらん」

柿崎家は、戦争中からずっとこの土地に住んでいた。あの家のあったところに住んでいた。

昭和二十年のあの当時、柿崎のご隠居さん——そのころは三十代の現役の主婦だ——と近所の人たちとのあいだにどんなことがあったのか、それはもう想像することしかできない。

戦時中だ。しかも、戦況は圧倒的に不利で、日本の敗戦は時間の問題になっていた。物資は不足し、うち続く空襲に、誰もが疲れ果てていた。

食べ物のことだろうか？　それがいちばんありそうなことだ。

しかも、男たちが戦場へ駆り立てられていたあとの、女子供が圧倒的に多かった町のことだ。心細さや淋《さび》しさ、嫉妬《しっと》やそねみ。戦争中でも、人間の感情は死にはしない。あるいは、もっともっと生臭い諍《いさか》いであったのかもしれない。

まだ身元のわからない、あの母子《おやこ》と、柿崎のご隠居さんとのあいだには、あの運命の三月十日の夜に、何があったのだろう？

それはもう、誰にもわからないことだった。そして、誰にも責めることのできないものだった。

「柿崎のご隠居さんは――」言葉を選び、声をしっかり励まして、イワさんは稔に言った。「あの母子の身元を知っているかもしれない。近所の人だった可能性があるからな。そして、ご隠居さんは、あの母子があそこで死んだことに、責任を感じなければならないようなことをしていたのかもしれないね」

だから、あの上に家を建て、黙って住み続けてきた。そして、死のうと決めたときには、あれを掘り出し、あの暗がりの中で――と決めたのかもしれない。

「何があったのかは、誰にもわからないよ、稔」

柿崎のご隠居さんは、命はとりとめたものの、ずっと意識不明の状態が続いているという。このまま、眠るように亡《な》くなってしまう可能性は高いと、イワさんは噂《うわさ》に聞いていた。

秘密も罪も責任も、すべては四十七年前の炎と灰燼《かいじん》のなかに埋もれてしまう。

ただ――と、イワさんは思う。ひょっとすると、柿崎文雄氏だけは、ご隠居さんの口から、あそこに何が埋まっているか、聞かされていたかもしれないな、と。

ごく最近、知らされたのだろう。そして、柿崎氏は、母親のその言葉を、あまり本気で受け取ってはいなかったかもしれない。

だから、いざ遺骨が出てきたときに、あんなに冷汗をかいていた――

だが、それを彼に問うのは、あまりに残酷だと、イワさんは思うのだ。

それから数日後、イワさんの胸のつかえをとってくれる出来事が起こった。

防空壕発見の現場で話をした、あの老人である。彼が田辺書店を訪ねてきたのだ。

まっすぐレジに近付いてきて、イワさんと向きあった。

「その節は、どうも……」と、律儀《りちぎ》な様子で頭を下げた。

「今日は、本を持ち込んできました」

なるほど、片手に重そうな紙袋をさげている。

「買取でなくて結構なんです。ここに置いて、売ってください。ただし、目を光らせて」

　紙袋の中からは、『日常生活のなかの毒物』とか、『安楽死の方法』とか、たしかにイワさんが目を光らせるべき「閉架」向きの書籍が何冊も出てきた。

　説明を求めるように見あげたイワさんに、あの老人は微笑した。ちょっと脇の方を指差して、

「これは、私の孫が買ったものなんです」

　店の入り口のところに、老人によく似た面差《おもざ》しの、ひょろりと背の高い若者が立っていた。二十歳ぐらいだろうか。顔をうつむけているが、イワさんが目をやると、突かれたかのようにびくりとして、それからひょいと頭を下げた。

「あいつめ、ひところこういう本を買い漁《あさ》ってましてな」と、老人は続けた。「こちらでも『殺人術』とかいう本を買おうとしたんですが、あなたに見咎《みとが》められそうで、あきらめたと言っています」

　イワさんはぴしゃりと額を打った。

　そうか！　この老人ではなく、彼によく似た孫息子をこの店内で見かけたことがあったのだ！

「お孫さんは——」

イワさんは声をひそめた。すぐ近くに、入荷したばかりで未整理の文庫本の束を眺《なが》めている中学生がいる。

「なぜ、こんな本を？」

「あいつには——」

老人は、持ちにくい荷物を一度抱えなおしてから差し出すように、少しためらってから言った。

「誰とは言えません。言えませんが、非常に憎いと思う人間がいたのだそうです。ひどい目にあわされたというんですな。私は孫の言い分しか聞いてないが、そのかぎりでは、たしかに、その人間はひどい奴《やつ》です」

イワさんは、物騒な書物の背表紙に目を走らせた。

「それで……？」

「そいつを殺してやろうと考えていたそうです。そのために、こうした資料を集めていたんですよ。首尾よく、うまく殺すために」

イワさんは、両手で丸い頭を押さえた。老人は続けた。

「私は孫たちと一緒に暮らしていますから、あいつの様子が変だということは、とっくに気づいていました。それがなぜなのか、あいつが何をしようとしているのかを突き止めるには、ちょっと時間がかかりましたがね」

さあ、どうやって止めたらいいか——

「悩みましたね。人の命の大切さを考えろなんて言ってみても、抽象論では空《むな》しいだけだ。そんなとき、柿崎のご隠居さんの事件が起こったんです」

イワさんは、低く唸《うな》った。

「四十七年前の三月十日の夜に、あそこで何があったんでしょうな」と、老人は言った。

柿崎のご隠居さんは、助けを求めている母子を見殺しにしたのかもしれない。あるいは、その防空壕が危険なことを知っていながら、あえて見過ごしにしたのかもしれない。

「何があったにしろ、柿崎のご隠居さんは、あそこであったことに、あの母子の死に、ずっと付きまとわれてきたんでしょう。私はそう思う。そして、ご隠居が母子の幽霊を見たというのも、私は嘘《うそ》じゃないと思う。あの土地を掘らせるために、そんな嘘をでっちあげたわけじゃない。幽霊は、ご隠居さんの心の中にいたんです。戦後四十七年間、ずっと」

入り口のところの若者は、こちらには目を向けていなかった。イワさんと自分の祖父の、老人二人のやりとりを、聞いていないようなふりをしていた。

「私は、あいつめと話し合いました」と、老人は続けた。「人を手にかける——人の死に関《かか》わるというのは、そういうことだぞ、と」

老人は、そこでは「殺す」という表現を使わなかった。それは孫息子のためではなく、柿崎のご隠居さんのためであろう。

イワさんは立ち上がり、レジのカウンターに積み上げられた書籍を、一冊ずつ閉架のなかに立てかけていった。

閉架は満杯になってしまった。老人もそれを手伝った。

カウンターに頬杖《ほおづえ》をついて、イワさんは考えた。老人とその孫息子は、ひっそりと店を出ていった。ここでこうしていることは、ちょっとばかし、いいことかもしれない。こうしていることは、ある種の砦《とりで》を守る歩哨《ほしょう》の役割を果たしていることになるのかもしれない、と。

そのイワさんの感慨は、明るい声に破られた。

「岩永さん、こんにちは」

見あげると、にこにこ顔の淑恵さんが立っていた。目の高さに、ケーキの箱を捧《ささ》げている。

「ご一緒に、三時のおやつをいかがです?」

やれやれ、稔がいなくてよかったと、心の内側でそっと呟《つぶや》く。六十五歳、独居老人のイワさんであった。

うそつき喇叭《らっぱ》

1

「蔵書五万冊」

筆で書かれた堂々たる文字が、四月の陽光を浴びて輝いている。額縁のガラスに光が反射しているのだ。

店の入り口に掲げたこの額縁に、こんなふうに明るく陽《ひ》があたっているのを見ると、イワさんはいつも、(ああ、春が来たなあ)と実感する。梅や桜の花が運んでくる春の匂《にお》いよりもなお強く、額縁の文字の輝きは、イワさんに、一年がまた巡り、新しいページが始まったことを感じさせるのだ。

いつもなら。

今日この陽射《ひざ》しの下では、イワさんは、別の感慨にふけりながら、額縁を見上げているのである。それはあまり快い考え事ではない。いつもの、美味《おい》しいものを食べたあとの満足のゲップのように、自然にこみあがってくる想《おも》いではない。したがって、イワさんの禿《は》げあがった額には、深いしわまで刻みこまれているのだった。

ついさっき、新書ノベルスのミステリーを五、六冊まとめて買っていってくれた常連のお客さんには、

「おじさん、今日は具合でも悪いの？」と、心配顔で声をかけてもらった。

「いやいや、そんなことは」とイワさんが笑うと、お客さんも笑顔になって、

「春の物想いとは粋《いき》ですね」などと楽しげに切り返してきた。

「お客さんは物想いをなさらんですか」

「してますよ。もう、しょっちゅう」

名前も知らないこの常連さんは、まだ三十そこそこという年代の、イワさんから見れば「若者」だが、ある建設会社の技術者であるそうで、商売柄《がら》やたらと出張が多く、その道中でミステリーを読むことを愉《たの》しみにしているという人であった。

「そりゃあ大変だ。仕事のことですかね？」

「半分はね」

「ほう。あとの半分は？」

「最近、婚約したもんで……」

おやおやおめでとう、ヒヤヒヤ、とイワさんがからかうと、お客さんは満更でもなさそうな顔で頭をかいた。

「毎度ありがとうございます」

差し出したおつりを受け取る手つきも軽やかなら、見送る後ろ姿の、背中の肩甲骨まで笑っている。

(春だねえ……)

あらためてイワさんは想い、レジの机に片肘《かたひじ》ついて、「蔵書五万冊」を見あげた。

この、額縁に収められた「看板」というか「宣伝」というか、とにかくこの店の蔵書数の多いことを誇っている一筆は、イワさんの公称「たった一人の不出来な孫」である岩永稔《いわながみのる》の手になるものである。彼が、高校受験を控えた去年の正月に、担任の先生から仰せ付けられた宿題の書き初めのうちの一枚として、麗々しく書いて提出したものだったのだ。

「受験勉強で正月どころではないという気持ちはわかります」

当時の担任の先生は、生徒たちに言ったそうだ。

「でも、それだからこそ、あえて、お正月の三が日のうちの一日ぐらい、心を静かにして墨をすり、半紙に向かって書き初めをしてみてほしいのです」

ところが、この宿題は、父母たちのあいだから非難囂々《ごうごう》だった。中学三年生の子供たちに向かって、この大事な時期に、試験とは一ミリも関係のない書き初めをしろとは何事か、という非難である。先生の「あえて――」という言葉の意味を、誰も真剣に吟味してはくれなかったということだ。実際、クラスの半分以上の生徒たちが、書き初めを提出しなかったという。

それでも、この担任の先生がうら若き女性教師ではなく、内申書をたてに生徒に圧力をかけることのできる立場にいる――またそういうノウハウを持っている教師だったなら、生徒たちはみな黙々と墨をすり筆をとったであろう。要は力関係なのである。だから、この話を聞いたとき、イワさんは正月早々いやあな気分になったものだった。

「で、おまえはどうしたんだい？　書き初めは書いたのか？」

イワさんが孫息子に尋ねると、稔はけろりとして答えた。

「うん、書いた」

「そうか。なんて書いた？」

「おじいちゃんにプレゼントするよ」

それが、「蔵書五万冊」。

イワさんは呵々《かか》大笑した。

「誇大宣伝だがなあ」

「でもさ、市場や建場から本がたくさん入ってくるとき、瞬間風速でなら、五万冊ってこともあり得るじゃない？ いいじゃん、商売には誇大広告がつきものよ」

という次第で、稔の労作を貰い受けたイワさんは、壁に貼りっぱなしで放っておけばすぐにボロボロになってしまうので、有り難く額縁におさめて掲げることにしたのである。

「しかし、おまえ、先生に叱《しか》られやしなかったかい？」

心配して尋ねると、

「ううん、喜んでた。今度、見にくるってさ」

その言葉どおり、稔が志望高校に合格し、卒業式も近づいたころ、担任の先生が、御自《おんみずか》ら、イワさんの仕切るこの田辺書店まで足を運んできた。実に嬉《うれ》しそうに額縁を見つめ、二時間ほど店内を散策していった。

「もう一枚書いとけばよかったなあ」と、稔は言ったものだ。

「何をだね？」

「たとえば、『高価買入』なんてどう？」

稔は、根っこのところで自信家の両親に育てられたおかげで、学校で起こるこうした小さな問題にぶつかっても、あまり動じずに成長してきた。この書き初め事件にしても、両親そろって、「お正月らしくていいから、ちょっとやってみたら」と言ったそうだ。あまつさえ、稔の母、つまりイワさんにとっては息子の嫁さんにあたる人は、「実用的なものを書いてよ」と注文したそうである。

「どんなの?」

「『禁煙』とか」

「『禁酒』は?」

「それはダメ。母さんも飲むもん」

「『禁酒場』は?」

「それより、『禁タクシーで飲み屋の女の子を送ること』」

「長くてダメだよ」

稔は笑ってしまったそうだ。

「母さん、個人的感情が入ってるね」

「あったりまえよ。怒ってるんだ、母さんは」

ちなみに、父に尋ねると、「『武士の情け』と書いてくれ」と頼まれたそうだ。

そういう両親なので、稔は幸せだと、イワさんは思う。子供の人生を、秒単位・分単位ではなく、年単位で見ようとしているのである。しかして余裕が生まれてくる。だから、書き初め程度のことでゴタゴタわめいたりしないのだ。

「ま、いいじゃん、やっておけば？」というノリなのであろう。

ただ、子供が成長してくれれば、それだけでは割り切れないことだって、やっぱり起こってくるものだ。実は、イワさんも、それで悩んでいるのである。

つい先頃、このところ稔が夜遊びを覚えたとか言って、嫁さんが電話で報告してきたのである。彼女は怒ってはいなかった。ただ、案じていることはたしかだった。イワさんは嫁さんに訊《き》いた。

「夜遊びというのは、どの程度のもんだね？」

「夜中のねえ、プロ野球ニュースが終わったころに外へ出ていくんですよ」

「玄関からかね？」

「はい」

「あいつはオートバイを……」

「持ってませんから自転車で」

「じゃあ、暴走族に入る気遣いはないだろうがね」

「何をしてるんだか」

「女の子でもできたのかしらん」

「あらやだ、お義父《とう》さん、女の子ができただなんて」嫁さんは吹き出した。「ガールフレンドと言ってくださいよ」

「できたのかね？」

「いるみたいですよ。でも、夜遊びとは関係ないみたい」

嫁さんは昨夜、稔が外へ出ていくのを聞きつけてからずっと起きていて、彼が帰ってくるのを待ち構えていたのだそうだ。

「正装してね」

気の張る会合などのときに着て行く、とっておきのスーツを身につけて、化粧もしっかりして、居間の明かりを煌々《こうこう》と点《つ》けて待っていたのだそうだ。

「稔ったら、口笛なんか吹きながら帰ってきましてね」

「それで？」

「あたしの顔を見て、なんて言ったと思います？」

――母さん、夜中に衣替え？　と言ったそうだ。

「わたしが難しい顔して黙ってたら……」

「そしたら？」

「真面目《まじめ》な態度になりましてね、今度は、『おじいちゃんに何かあったの?』と訊きました。ごめんなさいね、お義父さん」

嫁さんのそのスーツは、黒一色で――まあ、その――喪服のように見えないでもないのだそうである。

「馬鹿者《ばかもの》めが」と、イワさんは言った。

「ホントに」と、嫁さんも言ったが、そのときだけは、声が笑っていた。

稔の夜遊びは、その後も続いているらしい。ただ、零時ごろに出ていって、一時ごろに戻ってくるというものであり、他人に迷惑をかけているらしい様子は……あくまでも様子だが……ないし、稔の生活態度に、激しく乱れる一面が現われたという形跡も見えないので、しばし静観することにしたと、嫁さんは報告してきた。

その後、いつものように、週末泊まりがけで、稔が店を手伝いにやってきたとき、開店前の時間を利用して、イワさんは訊いてみた。夜中に遊ぶのは面白いかね、と。

山積みされた漫画本を、てっぺんから順に棚《たな》の上に並べる作業を続けながら、稔はちょっと言葉を呑《の》んだ。それから言った。

「おじいちゃんて、千里眼だね」

「おまえのおっかさんに聞いた」

「そう。母さんがしゃべったの」

その口調の底に、かすかに含むものがあったので、イワさんは言った。

「おっかさんは心配してるぞ。でも、おまえが他人様《ひとさま》に迷惑をかけているような様子は見えないから、しばらく静観するそうだ」

脚立《きゃたつ》の途中に足をかけ、両手にはめた軍手のなかに、漫画本を大事そうに持ったまま、うつむいて、稔は言った。

「そうみたいだね。叱られないもん」

「おっかさんが叱らないのは、我慢してるからだぞ」

「……うん」

「あのなあ、稔。ちょっとこっちをご覧」

稔がのろのろと顔を向けるまで、イワさんはぐいと頭上をにらんで待っていた。

「なあに？」

「おまえが何を考えてるのか、どういうことをしてるのか、おじいちゃんにはわからんよ。わからんから、むやみに止めるつもりもないがね。だからといって、男の子は少し不良ぶったことをするぐらいの方が将来大物になるなんて、わかったような無責任なことも言われん。うちの子に限って大丈夫だ、と簡単に考えることもできん」

稔はまばたきをした。「おじいちゃんも母さんも、僕をあんまり信用してないわけだ」

「おまえのことは信用してるよ」と、イワさんは辛抱強く言った。「だがな、おじいちゃんも、おまえの父ちゃんもおっかさんも、いざという時、なにか良くないことがある時には、おじいちゃんたちがおまえに寄せる信頼なんかふっ飛ばされてしまうような勢いで、事が起こるってことを知っている。そういう瞬間風速の前では、家族の信頼なんて脆《もろ》いもんだ。それくらい、世の中というのは何が起こるかわからないところなんだよ」

稔は漫画を棚に置くという動作をした。どうやら、そうやってイワさんから目をそらしたかったらしい。

「だから、それを知っている以上、うちの子に限っては大丈夫、とは言えないんだ。その代わり、こうは言える。なにか困ったことがあったら、手遅れにならないうちに相談に来い。それと、何をするときでも、おまえは一人じゃないってことを忘れるんじゃないよ。おじいちゃんなんか先に死んじまうからいいけど、父さんと母さんがいるんだからな」

ちょっとわざとらしく手をあげて、稔は頭のてっぺんをかいた。

「大げさなんだな、夜遊びぐらいで」

「年寄りの話は大げさなもんなんだよ」

その日の話しあいは、それきりで終わった。週末はなごやかに過ぎ、仕事もいつもと変わりなく、店は繁盛。稔は日曜日の夜に、横浜の家に帰っていった。

しかし、以来、イワさんの気分は晴れない。自分でもたしかに息子を一人育てあげたという実績を持っているのだし、男の子の成長過程にはいろいろなことがあると承知してはいるのだけれど、

(なにせ、あのころとは時代が違うからなあ……)

「蔵書五万冊」の額縁が、心なしか曇って見える。稔も大人になってゆくのだ――というイワさんの感傷が、無邪気な文字に影を落としているのかもしれない。

(そういえば、最後にあいつを動物園に連れていったのはいつごろだったかなあ……)

個人的な、あまりにも個人的な物想いに沈んでいる店主の耳に、そのとき、鋭い警告の声が届いた。瞬時にして我に返ったイワさんは、椅子《いす》を蹴《け》るようにして立ち上がった。

「おじさん！　おじさん！」

これもまた、名も知らぬ常連客の一人である女性が、店内のいちばん奥の書棚の前で、小学校二、三年ぐらいの小さな男の子の両腕をつかまえ、逃げようと暴れるその子の勢いに振り回されながら叫んでいた。

「早くきて！　この子、万引してます！」

2

その子は、イワさんにとり押さえられると、暴れるのをやめた。拍子《ひょうし》抜けするくらい、すぐに抵抗をやめてしまった。青ざめて、顔を歪《ゆが》めている。

女性客に礼を言って引き取ってもらうと、ほかの客の目の届かない棚の陰に入って、イワさんは子供に相対した。その子は口もきかず、泣きもせず、名前を訊いても答えない。どこの学校に通っているのか、それさえわからない。春物のこざっぱりした若草色のセーターに、ジーンズの半ズボン、白いソックスに白い運動靴《ぐつ》という格好だが、胸には名札がついていない。イワさんは往生してしまった。

（仕方がないねえ）

アルバイト君の一人にレジを頼んで、店の奥の小さな事務室兼応接室へ、その子を連れていった。

「そこへおかけ」

イワさんが声をかけても、子供は古びた木の肘掛椅子の脇《わき》に立ったまま、いっかな動こうとしない。両肩を少し丸め、視線は足元の前方二十センチほどのところに、釘《くぎ》で打ちつけられたかのように固定されている。

イワさんも同じようにつっ立ったまま、少し考えた。「おかけなさい」という言葉では、いまどきの子供には通じないのかもしれない。そこで、言ってみた。

「そこの椅子に座っていいよ。おかけ、というのはそういう意味だよ」

子供はまだ動かない。だが、そのとき、あとあとになってもイワさんが（運が良かった）と思う出来事が起こった。

キウゥ……というような音が聞こえてきたのである。

イワさんには、音の出所がすぐにわかった。とたんに、笑いがこみあげてきた。

「おや、お腹《なか》がすいてるんだね？」

子供の腹が鳴ったのである。

イワさんは膝《ひざ》を折ってしゃがみこむと、子供と同じ高さになって、相手の目をのぞきこんだ。

「腹が減ってるんだ。そうだろう？　それとも、お腹が痛いのかな？　どっちだ、うん？」

急性の下痢などの場合でも、お腹がゴロゴロ鳴ることはある。どちらなのかはっきりさせておくことは、この場合重要だ。小さな子供が好奇心にかられて万引を行い、店員や警備員に見咎《みとが》められたとたんに、ショックのあまり、激しい神経性の頭痛や腹痛に襲われたり、その場で吐いてしまったりするというようなことは、わりとよくあるのである。けっして仮病《けびょう》ではない。

イワさんとしては、石のように堅く身を縮めているこの子に、今、無用の苦痛を与えたくなかった。直感でしかないが、この子の今の態度が、ふてくされているとか、すねているとか、そういう意固地な感情から生まれているものではないと感じられたからだ。

今のこの子の様子は、イワさんに、ふと、昔横浜の家の近所で飼われていた不幸な犬を思い出させた。気紛れな飼い主は、子犬だったときはチヤホヤしていたのに、成犬になってしまうとすっかり愛情を失《な》くしてしまって、三日も四日も餌《えさ》や水をやらずに放りっぱなし、真夏の炎天下に、犬を鎖につないだまま一週間も旅行に出掛けるという暴挙までやらかした。見兼ねた近所の人間が餌を持っていってやると、最初のうちは、飢えているから飛びついてくる。だが、そういう虐待《ぎゃくたい》が続くうちに、犬の体力も精神力もすり切れてしまったのか、じっとうずくまって上目遣いで人間たちを眺《なが》めているだけで、立ち上がることも動くこともしなくなってしまった。大小便もその場で垂れ流し、とうとう最後には、ガリガリに痩《や》せ衰えて、犬小屋のなかで死んでいった。

あの犬と同じような目付きを、この子はしている。

「ちょうど三時だ」

二時四十五分をさしている時計を見あげ、イワさんは明るい声でそう言ってみた。

「おじさんは、いつもこの時間に軽いおやつを食べるんだよ。坊やも食べるかい？何を食べたい？」

子供は黙っている。イワさんは、稔がこの子ぐらいの年齢だった頃《ころ》のことを考え、どんなものを好んで食べたか、一所懸命に思い出してみた。

「パンはいやかな？ハンバーガーか。おにぎりもいいな。それとも、ラーメンか」

うつむいたまま、子供はかすかにまぶたを動かした。「ラーメン」という言葉を聞いたときだった。

「そうか。ラーメンがいいか」

イワさんはそう言って、一度事務室を出た。レジのところに行って、近所にある、ときどき出前を頼む中華そば屋にラーメンを注文してくれるよう、アルバイト君に声をかけた。

店内は、比較的、お客さんの流れが緩やかな状態にあった。アルバイト君たち二人にも、交替で食べるように誘ってみた。運動部にいて、いつでも恐竜《きょうりゅう》のように腹を減らしている彼らは、喜んで話にのってきた。

「だけど、どうしたんですか？」と、一人が訊いた。のっぽで、眼鏡をかけている。

「あの子がね、腹が減ってるようなんで」

「あの万引の？　あーあ、親父《おやじ》さんも人がいいなあ」

稔以外の店員たちは、みな、イワさんを「親父さん」と呼んでいる。

「しかしねえ、放っておけんだろう。ひと言も口をきいてくれないし」

「食い物で、少し気持ちがほぐれてくれればいいですけどね」

一人が中華そば屋に電話をかけているあいだに、イワさんは、眼鏡のアルバイト君にそっと訊いた。

「さっき、あの子が万引しようとした本、何だったね？」

「これですね」

子供をとらえたとき、無論、本の方も取り上げておいた。子供から事情を聞きたかったので、すぐには棚に戻さず、そのままレジに預けておいたのだが、アルバイト君はそれを取り出した。

『うそつき喇叭《らっぱ》』という童話の本である。奥付を見ると、昭和三十年に出版されたもので、表紙もボロボロなら、本文のあちこちに虫食いの穴が空いている。

「現代っ子が欲しがるような本じゃないですよねえ」

眼鏡のアルバイト君も不思議がる。イワさんは、淡いブルーの表紙のうえに、色褪《いろあ》せた金色の喇叭が描かれているその本を手に、ちょっと考えた。金色の喇叭は、遠い昔、まだ豆腐屋が自転車に木箱を積んで売りにきた頃、腰にさげていたような代物《しろもの》である。

「これは、俺《おれ》が仕入れてきたんだったよなあ?」

アルバイト君はうなずいた。「そうでしたよ。半年ぐらい前じゃありませんでしたか? 赤羽の方でしたよ。古いアパートが取り壊されるとかで――」

電話で呼ばれて、イワさんが軽トラックを転がして出かけていったのだ。電話してきたそのアパートの家主は、まったくの一見《いちげん》のお客さんだったし、残されていた書物の大半は、たいして利益の出る代物ではなかったが、児童書がたくさん混じっていることに惹《ひ》かれて、そっくり引き取ってきたのだった。

一般に、児童書・童話のたぐいは古書市場に出回りにくい。たいていの場合、持ち主である子供が育ちあがるころには、あちこち痛んで汚れているものなので、古本屋を呼んで売りに出す迄《まで》もないと思われ、ちり紙交換に出されてしまうことが多いからだ。イワさんたちのような古本屋は、たまに、ちり紙交換の業者の集まるところに出かけていって、めぼしいものを買い取ってくることがあるが、そういうルートでは、やはり、痛みの少ない良品は集めにくい。いきおい、児童書は少なくなる。

そういう折りに話を聞いてみると、近ごろでは、古紙回収業はまったく引き合わないので、最初からちり紙とは交換せず、ある地域の地区ごとに燃えるゴミの回収日をチェックしておいて、その日の早朝、ぐるりとトラックで巡回し、ゴミとして出されている新聞や雑誌、書籍のたぐいをそっと集めてくる——という方法をとっているところも多いそうだ。

「今までどおりに、テープを流して交換業をしててもね、俺たちで出してるトイレットペーパーじゃ固くて使い心地が悪いから嫌《いや》だ、要らないって言ってくる客も多いよ」

そして、そうやって無造作にゴミとして捨てられているもののなかに、最近はよく、児童書が混じっているという。ますます、良品は望みにくくなってきた。

それだから、児童書に出会うと、イワさんはまめに買い取っておくようにしている。この『うそつき喇叭』も、そのようにして手に入れてきたもののひとつだった。

田辺書店は、原則として、一発あてれば大儲《おおもう》けというようなめずらしい古書を求めている山師的ブックハンターや、学術研究に必要な貴重な文献を探している研究家などを相手に商売している店ではない。セコハンだけどきれいで、市場価格よりは安い娯楽本を求めている、ごくごく普通の人たちをお客としている店だ。したがって、普通なら、ぼろぼろの、ひと目見て、誰にでも「古書だ」とわかるような本を置いたりはしない。

ただ、その本がなかなか魅力的だったり、ちょっと時代がかっていて面白かったりすると、例外的に、店に置くことがある。それには、専用の棚をつくってある。ジャンルにかかわらず、裏表紙が落ちていたり虫食いがひどかったりする、傷病兵のような本ばかりを、ひと区画に集めてあるのだ。

『うそつき喇叭』も、そのなかにあった。

「あの子、なんだってわざわざこんな本を盗もうとしたのかねえ？」

内容的に、なにか特別あの子を惹きつけるものがあったのだろうか。

「あれ、親父さんは、これ読んでないんですか？」

「うん」イワさんは丸い頭をかいた。「児童書は貴重だと思うんで、ひょいと買ってきて置いてはみたんだけど……」

「僕も、ちょっと読もうとは思わなかったなあ。親父さんのことは言えないや」

アルバイト君が笑っているところへ、中華そば屋の出前持ちがやってきた。驚くべし、この中華屋さんでは、二十歳そこそこの女の子がおかもちをさげて自転車を飛ばしてくるのである。それがまた、曲芸的な腕前（稔は、自転車なんだから『足前』じゃないのと言っているが）で、できたて熱々のを運んできてくれる。のびていたこと、温《ぬる》くなっていたことなど一度もない。

古本屋に、ラーメンのかぐわしい香り。盆をささげて店内を通り抜けてゆくイワさんは、居合わせたお客さんたちの羨望《せんぼう》の視線を感じるような気がした。これも、ラーメンの匂《にお》いだからこそである。ハンバーガーじゃ、こうはいかない。漫画を立ち読みしていた学校帰りの中学生の一団が、

「あ、腹減ったなあ」と声をあげるのを背中で聞いて、イワさん、むふふと笑った。

「ほい、おまちどお」

足を使って器用に事務室のドアを開け、イワさんが顔を出すと、子供は、さっきと寸分たがわぬ姿勢で、肘掛椅子のそばに立ち尽くしていた。型で抜かれてとめつけられたかのように、肩の丸まり加減さえ変わっていない。

ひょっとすると、俺の見込み違いがあれば、この子が逃げだしてしまっていなくなっているということはあり得るな……心の隅《すみ》で、そんなことを考えないわけではなかった。その場合は、もう仕方がないと思ってもいた。反面、あの子は逃げない、と信じてもいた。だが、十分近く一人きりで放っておかれたこの子が、椅子に腰かけもせず、事務室のなかをうろつくこともせず、ずっと同じ姿勢で立ち続けているというのは、考えてもみなかったことだった。

「坊、くたびれないかね？」

ぼう、と呼びかけられると、その子はまたぴくりとまぶたを動かした。

「ラーメンがきたよ。座ってお食べ。話はそれからだ」

それでも子供は動かない。

イワさんの心に、その時ふっと、おぞましいけれど筋は通った、ある考えが浮かんできた。

さっき、万引の現場を押さえたときも、この子はびっくりするほど諦《あきら》めよく、抵抗をやめてしまったっけ――

「なあ。座ると、どこか痛いのかい？」

この問いは、的の真ん中を射抜いたようだった。微動だにしなかった子供の肩が、ついで爪先《つまさき》が、そのとき初めて血が通ったかのように、ぴりりと動いた。

「そうか。痛いのか。だから、さっきも、長くは暴れていられなかったんだな。お尻《しり》かね？」

盆をテーブルにおろしたイワさんは、また子供の目の高さにしゃがみこんだ。

「どうした。どっかからおっこちたか？　それとも尻餅《しりもち》でもついたか。それとも――」

イワさんは、ある種の覚悟をかためて、その質問を口にした。

「誰かにこっぴどく叩《たた》かれたかね？」

その問いが合図だったかのように、うつむいた子供のまぶたの縁に、見る見るうちに涙の雫《しずく》がふくれあがり、ぽろりと落ちた。ひとつ落ちると、あとからあとから新しい涙が溢《あふ》れ出て、間断なく落ち始めた。

「そうか。叩かれたか。おじいちゃんに、その傷を見せてくれるか？」

子供は嫌だともいいとも答えなかったが、両手を力なく垂らして、ただ泣き続けている。イワさんはそっと立ち上がり、その子のそばを擦り抜けて、アルバイト君の一人を探した。のっぽで眼鏡の彼の方が、ちょうど、驚異的な速さでラーメン鉢《ばち》の底を発見し終えたところらしく、満足気な顔をしているのを見つけた。

ちょっと、と手招きして、彼を事務室の内側に呼んだ。それから、子供に言った。

「このお兄ちゃんに、一緒にいてもらってもいいかね？　ひょっとすると、証人が要ることかもしれないから。しょうにん。わかるかい？　ここで坊とおじいちゃんが話したことを、あとで証明してくれる人だ」

子供は涙を拭《ぬぐ》いながらうなずいた。

「どうしたんですか？」

眼鏡のアルバイト君は不安そうに声を低くした。事務室のドアを締め切って、他人《ひと》目《め》を遮断《しゃだん》し、イワさんは子供に向きあった。

「どれ、見せてごらん」

子供はまず、若草色のセーターを脱いだ。それから、白いTシャツを脱いだ。痩せた上半身に、肋骨《ろっこつ》が浮いて見えている。

アルバイト君が、息を呑《の》んだ。

子供の背中に、脇腹に、平たい胸の谷間に、赤黒い痣《あざ》が飛び散っている。そのうちのひとつは、イワさんのてのひらほどの大きさがあった。

イワさんはしゃがんだまま、黙ってアルバイト君を見あげた。

「ポラロイド写真で撮っておいた方がいいかもしれない」と、眼鏡のアルバイト君は言った。それで思い出したが、このアルバイト君は法学部の学生なのだった。

ひとまず、もう一度Tシャツだけを着せた。それから、今度はズボンの方をおろさせた。足を片方ずつ動かしてズボンを脱ぐとき、子供が痛そうに顔をしかめるのを、イワさんははっきり見た。

「……ひどいや」

アルバイト君が、たった今ラーメンで満腹したことを後悔しているような声を出した。

子供の小さな尻にも、痣が無数に点在している。だが、上半身のと違っているのは、そのなかに、イワさんの中指の爪《つめ》ほどの大きさの、ひときわ色の濃い、痛ましい傷跡が混じっていることだった。

「煙草《たばこ》だね？」と、イワさんは訊いた。「誰かに、火のついた煙草でやられたんだな？　そうだね？」

無言のまま、子供はうなずいた。何度も、何度もうなずいた。

「誰にやられたんだい？」

アルバイト君の質問に、しばらくの間、子供の答える声はなかった。やがて、小さくしゃっくりをするような音が聞こえ始めた。ようやく、声をあげて泣き始めたのだった。

イワさんとアルバイト君は、なぜかしら互いを非難しあうような表情を浮かべながら、顔を見合わせていた。

「警察に報《しら》せよう」

泣き続ける子を抱えて、やっとイワさんがそう言うと、アルバイト君は黙って電話に近づいた。

3

「本来、これはわたくしどもではなく、児童相談所で扱う案件なのですが……」

傷だらけの安っぽいテーブルをへだてて腰をおろし、そんなふうに切りだした相手の目を、イワさんは、うんとにらんだ。

「ですが、なんですかな？」

「なのですが、火急の場合ですので、そう堅苦しいことばかりも言っていられません。ですから、わたくしたちも、できるかぎりのことをしたいと思います」

テーブルの向こうの女性は、手元の小さな革の名刺入れから一枚抜き出すと、イワさんの方にさしだした。

「少年課で相談員をしております、紺野《こんの》信子《のぶこ》と申します」

それから、クスッと笑った。

「そう恐い顔をなさらないでください。警察は関係ない、と、知らん顔するわけではありませんから」

三十代後半というところだろうか。紺のスーツをぴしりと着て、化粧はほのかに、爪は短く切りそろえてある。ボブカットの髪はつややかな漆黒だ。なかなか美しい女性警察官である。名刺を見ると、彼女の階級は警部補であった。

「それで、豊《ゆたか》君はどんな様子です？」

田辺書店で万引の現場を押さえられて捕まった子供は、石田豊、十歳。この地区の小学校の四年生で、学校から徒歩五分くらいのところにある高級マンションに、両親と、同じ小学校の一年生である妹と四人で暮らしている少年であることが判明していた。

「とりあえず病院で診察を受けさせまして、今、母親が面会しています」

イワさんが眉根《まゆね》を寄せると、紺野警部補はすかさず言った。

「ご安心を。少年課のベテランが付き添っていますから。もちろん、母親から事情を訊《き》くためでもあり――」

ニコッと、控えめな笑顔を見せ、

「そして、公的な場所で医者に診てもらっている豊君に引き合わせたとき、母親がどういう態度をとるか、それを観察するためでもあります」

イワさんはホッとした。考えたくもないことだが、実際に、親による子供の虐待という不幸な出来事が、世の中には存在している。豊君のあのひどい傷跡を見たとき、すぐにイワさんが頭に思い浮かべたのも、悲しいかなそのことだった。

「あれは、あの子の親がやったことでしょうか?」

紺野警部補は慎重に言葉を選んで答えた。

「その可能性は大きいです。でも、早計に結論を出すことはできません」

当然だと、イワさんもうなずいた。

「私には、詳しい事情を詮索《せんさく》する権利などないとわかっているんですが」と、前置きしておいて、「ただ、気になりますよ。それに、あの子がうちの店で万引なんかをやらかしたのは、捕まえてもらって、警察に突き出されたかったからじゃないかという気がしてならんのです。そうやって調べを受けたりすれば、遅かれ早かれ、あの子の受けている仕打ちが明るみに出されることになるでしょうからね」

「わたしも、そう思います」

「頭のいい子ですな、豊君は」イワさんは下くちびるを嚙《か》みしめた。「なんですかな、ああいう目にあわされた子が、誰にやられたか、自分の口から周囲の人間たちに告発することがないのは、やはり、『犯人』をかばっているからでしょうか」

「そういうケースが多いですね」

やりきれない話だ。イワさんは胃が痛くなってきた。

「もし……あの子の親があの子をあんな目にあわせているのだとしたら、あの子は親から離されて、ちゃんとした保護を受けることができるようになりますか？」

紺野警部補は即答しなかった。そこに置かれたわずかなためらいの時間、間合いに、イワさんは、「法律」とか「人権」とか「親権」とかいうものの、しちめんどうくさい絡《から》み合いの一端を見てしまったような気がした。

「努力いたします」と、警部補は言った。「学校にも協力を求めることになると思います。できるかぎりのことをしなければ、豊君がかわいそうですから」

イワさんは、それ以上は何も言うべきことを見つけられないまま、黙っていた。関係者ということで、家族関係とか、田辺書店のこととか、連絡先、住所、横浜に住んでいる息子夫婦の仕事や勤め先などについてまで、事細かに尋ねられ、それに几帳面《きちょうめん》に答えて、やっと解放されたのは、夕方六時すぎのことだった。

どっと疲れて、アルバイト君たちの心配顔の質問攻勢にも、あまり上手に答えてやることができなかった。


その夜、一人アパートに帰ったイワさんは、『うそつき喇叭《らっぱ》』を読んでみた。ぱらりとめくってみた感じでは、読者対象として、小学校低学年ぐらいの子供たちを想定していると思われる作品だった。漢字が少なく、文章のつめ方もゆったりしていて、言葉も易《やさ》しい。今ではかなり退色してしまっているが、昔は美しい水彩画調のものであったはずの挿《さ》し絵も、曲線の美しい、当たりのやわらかいものだった。

イワさんは最初、愛用の座椅子《ざいす》にどっかりと腰を据《す》え、背もたれに寄り掛かり、焼酎《しょうちゅう》のお湯割にレモン汁を数滴たらした飲み物を傍《かたわ》らに、のどかな気分で読書にかかった。が、ものの数ページと行かないうちに、座椅子のなかで起き上がり、背中をのばし、肘《ひじ》のそばに置かれたお湯割のことも忘れてしまった。

物語が面白いから夢中になっていた、というわけではない。いや、たしかに夢中になってはいたけれど、ちっとも楽しくはなかった。心温まりもしなかった。

外見に相反して、『うそつき喇叭』のストーリーは、あまりに暗く、いっそ「陰惨」とさえ言えるほど、救いのないものだったのだ。実際、信じられないほどだった。

「むかしむかし、ある町に、小さなオーケストラがありました」

物語の語り出しは、そんなふうに始まる。

「そのオーケストラには、三十の楽器たちが集まっていました。バイオリン、チェロ、オーボエ、打楽器のティンパニ、きれいなハープ——町中から楽器たちが集まって、しきしゃのおじさんといっしょに、月に一度、演奏会をひらいていました」

物語のなかでは、人間である指揮者と、楽器たちがストレートに意思の疎《そ》通《つう》ができることになっている。つまり、楽器たちが擬人化されており、演奏者なしで、自分で音を奏《かな》でるという設定になっているのだ。挿し絵も、それにしたがって、チェロの胴体に目鼻がついていたり、フルートに細長い手足が生えていたりするように描かれていた。

「このオーケストラのなかには、喇叭がひとつ、おりました。この喇叭は、たいへんなうそつき者でありました」

その文章とともに、トランペットを簡略化したような、貧弱な喇叭の絵が登場する。

「『おい、ピアノ、きのう、しきしゃのおじさんが、おまえはまちがえてばっかりいるからいやになるって、悪口をいっていたよ』

『バイオリンの先生たちは、みんなチェロのことがきらいなんだってさ。身体《からだ》が大きいばっかりで、ちっともいい音を出せないからだってさ』」

喇叭のうそが、そんなふうに語られ、

「喇叭は、いつもいつも、小さなうそ、大きなうそをついては、オーケストラの仲間たちに嫌《きら》われておりました。でも、オーケストラの仲間たちも、しきしゃのおじさんも、喇叭の言葉がみんなうそであることはよく知っていましたので、そのことでけんかになったり、なかまわれしたりすることはありませんでした」

そんなあるとき、町は戦争に巻き込まれる。

「隊長さんがやってきて、オーケストラのみんなによびかけました。『おまえたち、誰か、強い兵隊を集めて歩く手伝いをしてくれないか。勇気の出る音楽をかなでて、みんなを集める手伝いをしてはくれないか』」

この呼び掛けに、喇叭が応《こた》えて出かけてゆく。

「うそつき喇叭は、うそをつくことがたいそう上手でありましたから、隊長さんのあとについて、戦争にいくとどんなに楽しいか、どれだけ世の中のためになるか、どれだけお金がもうかるか、大きな声でかなでて歩きました。それはもうとても上手で、次から次へと人があつまってくるほどでした」

こうして、喇叭は、大勢の兵隊たちを連れて戦地へ渡る。そこでは、突撃喇叭として活躍をする。

「町にのこされたオーケストラの楽器たちは、戦争がはげしくなると、演奏会を開くこともできなくなりました。しきしゃのおじさんも、兵隊にいってしまいました。そのうえ、楽器たちは、喇叭のように隊長さんを手伝うことをしなかったというので、戦争熱心な町の人たちに、いじめられたり、こわされたりするようになりました」

戦争は長く続いた。それに連れて、小さな町のなかには、次第に、平和を求める声が大きくなってくる。そんなとき、ある戦闘で、喇叭と隊長さんは敵方の捕虜にされてしまう。

「喇叭はとらえられ、とても恐ろしい思いをしました。敵の隊長が、喇叭をうそつきだと言うのです。『おまえのようなものが、戦争をするとお金がいっぱいもらえるなどとうそをついたから、たくさんの人間がまどわされて、死んでいくことになったのだ』」

　喇叭は必死になって、自分はそんな嘘《うそ》をついてはいないと抗弁する。自分は、故郷の町で楽しい音楽を奏でていただけのもので、隊長さんに連れられてきてからも、朝夕のあいさつの音楽しか奏でてはいなかった、と。

「そして喇叭は、捕虜のろうやのなかから、夜な夜な、死んでいった兵隊たちのために、哀《かな》しげな音楽をかなでてみせるのでした」

　そうこうしているうちに、戦争は終わる。

「喇叭は、隊長さんといっしょに町に帰ってきました。隊長さんは、ふるさとの家に帰るお金がほしくて、喇叭を古道具屋さんに売ってしまいました」

　その古道具屋で、喇叭は、あのオーケストラの仲間たちのうち、たったひとつだけ残ったピッコロと再会する。

　ほかのみんなは、戦争のために壊されたり、どこかへ売られていったりしてしまった。戦争はいいことだなんて言っていたのは、あんた一人だった――ピッコロになじられて、その非難が、すっかり破壊し尽くされ、戦争を悔やんでいる町の人たちの耳に届くことを恐れた喇叭は、ピッコロの細い音色をかき消してしまうほど大きな音をたてて音楽を奏で始める。

「喇叭は、ひがな一日歌い続けました。『戦争は終わった。新しい町、楽しい町、平和な町をつくろうよ……』喇叭の歌声の明るさに、町をたてなおそうとしている人たちは励まされました。その声の下で、息もたえだえに、ピッコロが訴えていることなど、誰も気づきはしませんでした」

そして、力つきたピッコロが死んでしまったあとも、喇叭は歌い続ける。町の再建は続く。

「やがて、町が昔のような平和とにぎわいを取り戻した頃、もう一度オーケストラをつくろうという提案が出されました。また楽器たちを集めるのです。でも、すっかり古道具屋の名物になっていたうそつき喇叭は、そこに加われという熱心なすすめをことわりました。

『わたしは戦争でたくさん苦労をしたので、もう静かに暮らしたいのです』」

何も知らない町の人たちは、喇叭の言葉に心をうたれ、うそつき喇叭を、町の博物館に飾ることにする――

「あるとき、その博物館を、隊長さんが訪ねてきました。ある人が、隊長さんにききました。

『あなたも戦争に行って、たくさん苦労をしたのでしょう。あの喇叭と同じですね。

あの喇叭を知っていますか』

隊長さんは答えました。『いいえ、知りません』」

「うそつき喇叭は、博物館のガラスのケースの向こう側で、静かに余生を送る。

「うそつき喇叭は、もう音楽をかなでることはありませんでした。隊長さんも、二度と博物館にやってくることはありませんでした」

その一文で、物語は終わる。

読み終えて、イワさんは深いため息をついた。冷えてしまったお湯割焼酎を一気に飲み干すと、グラスを置いて腕を組んだ。

『うそつき喇叭』は、断じて、子供のために書かれた物語ではない。

作者がわざわざ、ラッパとカタカナで書かず、難しい漢字を使って「喇叭」と表記しているところも、深読みを誘っているようだ。だいたい、幼い子供向けの物語にしては、あまりに暗く、あまりに卑劣ではないか。これは、最初から最後まで「うそつき」が大勝利をおさめる話なのだ。

末尾のところに、小さく作者の紹介が付記されていた。名前は筆名であると断わりがいれてある。年齢は、イワさんよりも十歳年長。してみると、あの戦争を、もろに総身に受けて体験した世代である。

あらためて奥付を見て、昭和三十年という、この作品の出版された時代を思った。戦後は遠くなり、高度成長へ向けて、日本社会全体が走りだそうとしていたころだろう。その時代になって初めて、作者はこの物語を書くことができたのだろうか。『うそつき喇叭』の表紙を閉じると、イワさんは目をつむった。そして、よりにもよってこの本を選んで万引し、周囲にSOSを求めた豊君の顔を思い浮べた。

あの子のまわりに、すぐ近くに、あの子をあんなふうに虐待《ぎゃくたい》している『うそつき喇叭』がいる。その本性を誰にも悟られることなく、大きな声で明るい歌をうたうことで、豊君というピッコロの助けを求める叫びをもみ消してしまっている、大嘘つきの喇叭が。

あの子は、それを告発したかったのだ。

4

紺野警部補は、「気になります」というイワさんの台詞《せりふ》を、まことに誠実に受け取ってくれていたようだ。その後の経過を、二度三度と、電話で教えてくれた。

「わたし個人の意見が入ってますので、それを頭に入れたうえで聞いていただきたいのですが」

「はあ、わかっとります」

「豊君が、身近にいる何者かによって、あのように激しい虐待を受けていることは明らかな事実なのですが、どうも今ひとつ、はっきりしないのです」

「それはつまり、誰がそういうことをやっているか、ということですな？」

「ええ、そうです」

警部補の声が、じっとりと重くなった。

「わたしとしては、母親の石田良子という人がいちばん疑わしいと考えざるをえないのですがね」

「お母さんが……」

「ええ。両親とも、煙草《たばこ》を吸いますしね」

警部補は辛《つら》そうに言った。

石田家は、経済的には非常に恵まれている一家だという。住んでいるマンションも、周辺の家々やアパートとは格段にステイタスの差のある、二十四時間セキュリティ・サービス、クリーニングからタクシーの手配までホテル並みのサービスを誇り、専用のスポーツジムまで擁している、超高級マンションだというのだから。

イワさんの暮らす下町にも、ここ数年、こうしたマンションが建ち始めている。古くから住んでいた住人たちが立退《たちの》いたあと、大手のデベロッパーが入って、ウォーターフロントの再開発とやらでぶっ建てているのだ。それはまあ、仕方ない。世の流れだ。しかし、頭の古いイワさんとしては、あまりに場違いな高級感を振り撒《ま》くこうした「異物」の出現が、「地」にいて乱を起こす厄介《やっかい》のタネになりはしないかと、頭の隅《すみ》で常に危ぶんでいる。

「父親の石田次郎氏は、大手金融会社勤務のサラリーマンですが、豊君が五歳のときまで、ワシントンに赴任しておられました」

警部補の声が、きびきびと続けた。

「家族揃《そろ》って、向こうで暮らしていたんです。その前はロンドン。豊君も、ロンドン市内の病院で生まれているんです。夫妻とも、日常会話なら不自由しないという程度に英語も堪能《たんのう》ですし、そろって高学歴です」

イワさんはびっくりした。

「そんなご夫婦の子供が、なんでまた公立の小学校へなんて通ってるんです?」

警部補は苦笑しているらしい。

「本当にね。でも、帰国子女というのは、一般に、国内の私立学校に入学するとき、難しいことがあるものなんですよ。帰国子女を喜んで迎えてくれる学校もありますが、概して数が少ないですし、タイミングがずれて入学試験のシーズンを逃してしまうと、あとは公立学校しか受け入れてくれる器がないんですね」

「豊君は、英語をしゃべれるんですかな？」

「はい。わたしよりずっと上手ですよ。ご両親としては、豊君が日本語を忘れないようにはからってあげることの方が大変だったそうです」

はあ……イワさんのような単一言語人としては、唸《うな》ることしかできない。

「それでですね、母親の良子さんも、今現在、帰国家庭につきもののコミュニケーション・ギャップに悩まされておられるようでして……」

平たく言えば、近所付き合いがうまくいってないようなのである。

「そういうストレス下にあって、発散されない抑鬱《よくうつ》が子供の方に向かうというのは、ままあることです。豊君の担任の教師も、母親がささいなことに神経質になっているようだと心配していました」

「ささいなこと、とは？」

「半月ほど前に、授業参観と父母面談がありまして、そのとき、豊君のお母さんだけ、ほかのお母さんたちと意見が違っていたようなんですね。もう少し余裕のあるカリキュラムを組んでほしいというようなことを発言されたそうですが」

その時の空気は、かなり気まずいものだったらしい。母親の石田良子は、あとあとまでそれを気に病んでいたという。

「しかし、肝腎《かんじん》の豊君はどうなんですか？　誰があんなことをしているのか、あなたや学校の先生に訴えてはいないんですか？」

イワさんの問いに、警部補はため息で答えた。

「話してくれません。かばっているのか、怯《おび》えているのか……」

「母親はどうなんです？」

「傷のことは、以前から知っていたそうです。気が気じゃなくて、何度も学校へ掛け合いにいったそうです」

「学校に？」

「母親は、豊君が同級生からいじめにあっているんだと信じているんです。家では決して子供を虐待したりしていない、学校でひどい目にあわされているんですと、泣きながら話していました。このところずっと、ご主人とも相談して、教育委員会へ訴え出ようかと考えていたところだったそうです」

イワさんは考えた。母親が、そういう「出るところに出て解決してもらおう」という態度をとっている以上、彼女や父親など、家のなかの人間は嫌疑《けんぎ》の対象からはずしていいのではないか……

ところが、そういうイワさんの心中を読んだかのように、紺野警部補が言った。

「ですけどね、子供を虐待する親の中には、あえてこういう態度をとったりする人たちもいないことはないんです。公《おおやけ》の場所で調べてくれ、自分はやってない、と主張する。それを聞いて、岩永さんのように、疑いを解く人が現われてきますからね」

「うむ……」

「そのうえ、どれほど虐待されても、子供たちは、加害者が親である場合、やっぱりかばうものなんですよ。だって親ですもの。だから、虐待をしている親が『出るところに出て調べてくれ』なんて、自分の首を自分で絞めるようなことを言い出すと、子供の方が腰が引けちゃって、『もう大丈夫だから』なんて、わたしたちに調査をやめるように頼んでくるようなことさえあったりするんです」

イワさんは言葉もなかった。これは本当に「うそつき喇叭」そのものではないか。うそつきの大勝利だ。

「もう少し慎重に調べてみませんと、公にはなんとも申し上げられません。今のお話は、ここだけのことにしてください」

紺野警部補は、そう念を押してから電話を切った。

その週の週末、イワさんは、鬱々と楽しまない様子ですごした。気勢のあがらない、したがって売り上げもあがらない土曜、日曜日を乗り越えて、月曜日の午後、田辺書店に、一人の若い男性客が訪れた。

見慣れない顔である。名指しで面会を請《こ》われたイワさんこと岩永幸吉《こうきち》は、相手が差し出した名刺を見て驚いた。

「これはこれは……石田豊君の」

「はい。僕が担任の教師です」

彼の名を、宮永淳史《みやながあつし》という。二十五歳の、「まだまだ新米です」と快活に笑う、なかなか健康的なタイプの先生である。

話はやはり、豊君のことだった。あの日、あの子の身体の痛ましい傷を発見したあの事務室兼応接室で、イワさんは彼と向きあって腰をおろした。

「その後、いかがです?」

「虐待は、今のところは止《や》んでいるようです」

と、若い教師は言った。口の端に、気難しそうなしわが一本寄っている。気楽そうなスポーツマンタイプの外見のなかで、唯一《ゆいいつ》、そのしわだけが、彼が心痛を抱える教師であることを証明するものになっていた。

「ことが大きくなったからでしょうかね。豊君のご両親も、このことでは何度も真剣に話し合いを重ねているようですし」

言いにくそうに口籠《くちご》もりながら、

「いくら母親でも、もうそう簡単には豊君に暴力をふるうことができない環境になってきてるんじゃないですか。僕らの監視の目が光ってますからね」

イワさんは、厳しい表情を浮かべている若い教師をじいっと見つめた。

「すると、先生は豊君のお母さんをお疑いで？」

教師はきっぱりうなずいた。「ほかに考えられないと思います」

「先生は、いつごろ、豊君の身体の傷に気が付かれたんですか？」

小学校の四年生の男子なら、まだ教室で着替えたりする機会も多かろう。そして、担任の教師なら、あの無残な傷跡を見て驚かないはずもない。

「虐待が始まったのは、つい一、二週間ほど前のことらしいんです」

教師は、イワさんの質問には答えず、そう言った。

「それほど前からのことじゃないんですよ。それに、ちょうどそのころから、豊君のお母さんが電話をかけてきて、『今日は体育を休ませてください』と言うようになったんです。ですから僕は――」

「うちでの万引騒ぎがあるまで、豊君のことは気づかなかったと。そういうことですか」

教師はイワさんから目をそらした。「そうです。そのことは、申し訳なく思っています」
二、三秒、言葉を探すように間をおいてから、顔をあげ、
「ですが、今は、僕なりに事態を掌握しているつもりです。それで、岩永さんにもお会いして、豊君がここで万引をしようとしたときの事情などもうかがいたいと思って出掛けてきたんですから」

イワさんは、手ずから来客にお茶を出し、その作業を進めながら、ここであったことを説明した。宮永先生は熱心な様子で聞き入っていたが、やがて言った。

「豊君が万引しようとしていた本は、どんなものですか？」

「お見せしましょう」

イワさんが『うそつき喇叭《らっぱ》』を手に戻ってくると、若い教師はそこで煙草を吸っていた。

「失礼しました。よろしいですか？」

事後承諾だが、イワさんは「どうぞ。灰皿はそのへんにあるはずです」と言った。

「私は店の方におりますから、ゆっくり読んでください」

その日は、アルバイト君が一人休んでいたりして、人手の足らない忙しい日であった。だがイワさんは、宮永先生が『うそつき喇叭』を読み終えたとき、どういう表情を浮かべるか、どんな反応を示すか、非常に興味があったので、一人きりのアルバイト君がレジで悲鳴をあげていることに敢《あ》えて耳をふさぎ、いったんは店に引き返すふりをして、その実、細く開けたドアの脇《わき》にはりついて、先生の様子を観察していた。

先生は、さしてこみいった文章が並んでいるわけでもない『うそつき喇叭』を、何度も行きつ戻りつしながら読み進んでゆく。そのあいだ、ひっきりなしに煙草をふかしていた。

そして、最後のページを読み終えたとたん、そのとき指に挟《はさ》んでいた、まだ長い吸いさしの煙草を、途中でがくりと折れてしまうほど強く灰皿に押しつけて、もみ消した。そして、そのまま手を握り締めた。握り締めたこぶしが震えていた。耳たぶがうっすらと紅《あか》く染まった。

そのときの宮永先生の横顔を思い出すと、イワさんは、今でも身体中《からだじゅう》に鳥肌《とりはだ》がたつのを感じる。

それは憤怒《ふんぬ》の顔だった。憎悪《ぞうお》の顔だった。およそ、担任教師が生徒を思って浮かべる表情ではなかった。

それこそ、『うそつき喇叭』の顔だった。

この教師は、だから俺《おれ》を訪ねてきたのだなと、イワさんは確信した。不安だったのだろう。だから敵情視察にきた。

だから、嘘《うそ》を歌いにきた。母親を疑わせようと。そうじゃないのか?

イワさんの丸い、堅い頭は、油のよくきいた頑丈《がんじょう》な機械のように、音もなく回り始めた。

5

さて、その後——

イワさんは豊君の両親に、この週末、横浜にあるイワさんの息子夫婦のうちに豊君を遊びにこさせるようにと説得を試みた。気分転換になるだろうから、と。

紺野警部補にも事情を話し、掩護《えんご》射撃をしてもらった。土曜日の夜に一泊して、日曜日には氷川《ひかわ》丸を見にいったり、中華街でご飯を食べたり、いろいろ楽しいことをしようじゃないか、そういうことも、たまにはいいじゃないかというわけである。

自分たちが虐待の加害者として疑われていることを知っており、この提案も、子供を家から引き離す計画のひとつなのではないかと、顔を青くして案じている豊君の両親、とりわけ母親には、少し酷なことになるが、心のなかで謝りながらイワさんはなんとか押し切った。

そして、あとは紺野警部補に任せた。

久しぶりに帰る横浜の家では、息子と嫁さんが、父親の連れてきた小さな友達を大歓迎してくれた。もともと、この夫婦は融通がきくことだけが取り柄《え》みたいな二人なのだが、イワさんから通りいっぺんの事情を聞いただけで、それ以上は何も問い質《ただ》さず、文句も言わず、あっさりとこの計画に参加してくれたのだった。

子供というものは、十四、五歳になると、ほとんど親をかまってくれなくなってしまう。親と遊んでくれなくなってしまう。だから、豊君を迎えて、イワさんの息子も嫁さんも、稔が十歳の可愛《かわい》いやんちゃ坊主《ぼうず》だったころを思い出して、心から楽しんでいるようだった。

当の稔はといえば、あまり出番がなかった。この週末は、イワさんが田辺書店を臨時休業にして帰ってきているのだから、彼もまた、助《すけ》っ人《と》に出かけて行く先がなくなってしまったことになる。面白くなさそうな顔で、午後中、うちのなかをうろついていた。

稔が堪忍袋《かんにんぶくろ》の緒を切ったのは、土曜日の夜、イワさんたちが豊君を連れ、即席のミナト・ヨコハマ観光ツアーを催し、明日はドリームランドへ行こうなどと楽しく打ち合せをしながら夕食を済ませて帰ってきたあとのことだった。揃ってテレビゲームに興じている息子と嫁さんと豊君を残し、トイレに行こうと居間を出てきたイワさんを捕まえると、早口でこう詰問《きつもん》した。

「ねえおじいちゃん、これ、いったいどういうことさ?」

イワさんは澄まして答えた。「ほほう。父ちゃん母ちゃんをレンタルに出すのは嫌《いや》かね?」

「ふざけてる場合じゃないよ」

「あの子、今夜はうちに泊まるからな。おまえの部屋を空けてくれんか?」

「おじいちゃん!」

にらむ稔に、イワさんはこっそり笑いかけた。

「おい、稔、おまえ、最近も夜遊びしてるか？」

「……そんなの関係ないよ」

「してるかね？」

稔はぼそりと答えた。「してるよ」

それから、ムキになって顎《あご》をあげ、

「だけどね」と、咳《せ》き込んで言い出した。イワさんはその口元をぐいと手のひらで押さえて黙らせると、命令した。

「おまえがこっそりうちから出ていって帰ってくる、そのルートを教えろや。誰にもわからないようにここから外へ出る必要があるんだよ」

「なんで？」

イワさんの頑丈な手の下で、稔がモゴモゴと尋ねた。

「うちを張り込むんだよ」と、イワさんは答えた。

その晩、二時間の張り込みで、成果はあがった。宮永淳史先生は、横浜の岩永家に連れ去られた豊君の身の上が、よほど心配だったのだろう。岩永家のカーポートの近くに身をひそめ、窓ごしに家のなかの様子を窺《うかが》おうとしているとき、待ち構えていたイワさんに頭を押さえつけられて捕まった。

同じように、近所に停《と》めた車のなかで待機していた紺野警部補が、靴《くつ》の踵《かかと》を鳴らして近づいてくるのを見たとき、宮永先生の顔から血の気が失《う》せた。

「さあっと血の気が引いていく音が聞こえそうだったね」と、あとで稔が言ったものだ。

「だけど、どういうことなの？　おじいちゃん」

順をおって説明してから、イワさんは言った。

「紺野警部補に頼んで、宮永先生には、豊君が、自宅を離れて、なんの危険も心配もない横浜の岩永さんの家で、両親や学校の人たちがいない状態でなら、警察の人たちに、誰が虐待《ぎゃくたい》者であるかということについて詳しく話をすると言っている、という偽《にせ》情報を伝えてもらったんだよ。そうしておけば、彼としては、気になってたまらなくて、こっそりうちに近づかずにはおれなくなるだろうと思ったからね」

「後ろ暗いことがなければ、そんな必要はないもんね。心配だから様子を知りたいって、堂々と訪ねれば済むことなんだから」

「そのとおり」

宮永淳史としては、岩永家に接近し、なんとかして豊君だけと接触して、虐待の真実について話さないよう、脅しをかけておきたいところだったのだ。

「恐いよね……。学校じゃ、担任の先生は絶対権力者だもん。まして豊君はまだ小学生なんだから、一人で居残りさせられて、体罰だって言ってあんなことされたら、震えあがっちゃって抵抗することもできないよ」

さらに卑劣なのは、宮永淳史が、このことを口外させないために、同じ学校の一年生である妹のことまで引き合いに出して、豊君を脅迫していたということだ。

「親にしゃべったら、妹にも罰をしてやるからなって言ったそうだ。悪魔みたいな野郎だね」

しかも念のいったことに、そ知らぬ顔をして虐待の事実を押し隠し、身体の傷を見て驚いて問い合せてきた豊君の母親に対し、濡れ衣《ぬれぎぬ》をきせるようなことをしてきた。

「たとえば、体育の授業を休ませたことだってそうだ。母親としては、誰がやったかわからないにしろ、あの傷だ、体育は無理だから休ませてくれと頼んでくるのは当然の処置だよ。それを逆手にとって、母親が身体の傷を隠したがっているかのようなことを言い触らして……」

「だけどさ、おじいちゃん」

宮永淳史が警察に連行され、豊君がすやすやと眠りについたころ、静かな居間のなかで温かいココアをすすりながら、稔は訊《き》いた。

「学校の教師ともあろう人が、なんだって生徒を虐待したりしたんだろ?」

その問いの答えを得るためには、丸一週間待たなければならなかった。宮永淳史がひどい興奮状態にあり、まとまった自供がなかなかとれなかったこと、マスコミが大騒ぎをしたので、連絡がとりにくくなったことなどで、紺野警部補がその後の経過を報《しら》せてくれるまで、それぐらいの時間がかかってしまったのだ。

「ひとことで言えば、ま、コンプレックスってやつだよ」と、イワさんは答えた。

日曜日の昼すぎ、まだ客もまばらな開店直後のレジに、稔と並んで腰をおろしている。二人して、仲良しの子供のように頰杖《ほおづえ》をついていた。

「コンプレックス?　教師が生徒に?」

「そうさ。それと、宮永淳史は、頭の中身はまだまだ抑制のきかない子供だったたってことだ」

イワさんは説明した。

「虐待が始まったのは、ちょうど、授業参観と父母面談があったあとからだ。つまり、豊君のお母さんが、宮永先生の授業方針について、『もう少しゆとりがほしい』という意見を出したあとからだったんだよ。言ってみれば、それが引き金になったんだろう」

紺野警部補が、その場に居合わせた同級生の母親たちから話を聞いてみると、父母面談のときの宮永淳史は、石田良子のその意見提出に実に不愉快そうな顔をしたという。それはひとえに——たとえ悪気がないにしても——石田良子が、現在の日本の教育界の状況と、彼女が暮らしてきたロンドン、ワシントンあたりのそれとを比較するような言い方をしていたからではないか……と、母親の一人は言っていたという。

「豊君のお母さんとしちゃ、ごく自然な気持ちで日本と外国とを比べたんだろう。ところがそれが、宮永淳史には面白くなかった。これも、調べてわかったことだそうだが、彼は、就職活動するとき、海外勤務のあるような大手商社なんかが第一志望だったんだが、成績不良で全部すべってしまってね。教育学部にいたものだから、なんとなく教師になったという、典型的なデモシカ先生だったんだそうだ」

「相手が悪かったね。豊君は不運だった」しみじみ残念そうに、稔はそう言った。

そういう屈折した劣等感のある教師の下に、外国生まれでバイリンガルの小さな男の子が入ってきたのだ。学校では生殺与奪の全権を握っている独裁者である教師は、ふと魔がさして——いや、そのときだけ頭がおかしくなって——

「嫌な話だね」

苦いものを噛《か》んだような顔をしている稔に、イワさんはからかうような笑顔を向けた。

「ところで、おまえの夜遊びの理由だがな」

「おじいちゃんもしつこいね」

「いろいろ考えて、ひとつ思い浮かんだんだがね。おまえ、そういう夜中にしか気軽に会うことのできない、スナック勤めかなんかの、年上の女性に惚《ほ》れたんじゃないのかね？　え？」

稔は――なんと、耳まで真っ赤になった。トマトちゃんのようになってしまった。そして、あて推量が当たってしまったイワさんも、また、ちょっとばかし気恥ずかしくなった。

「まあ、その……ちょっと言ってみただけだがな」

おほん、と咳払いをひとつするイワさんの頭上で、「蔵書五万冊」の額縁が、今日も春の陽《ひ》を浴びて光っている。

歪《ゆが》んだ鏡

1

久永由紀子《ひさながゆきこ》がその本を手にいれたのは、JR中央線の車両のなかでのことだった。網棚《あみだな》の上に置き忘れられていたのを拾ったのである。

普段なら、彼女は、網棚の上に雑誌や新聞が置き去りにされていても、手をのばしてそれを取り上げるなどということはしない。電車のなかで手持無沙汰《ぶさた》であっても、退屈であっても、どこの誰が置いていったかわからないようなものに手を出してまで、それらのものを読みたいとは思わないからだ。それくらいなら、車両の窓ガラスにぼんやりと映っている自分の顔を見ているほうが、ずっとましだ。

以前、職場の同僚の女性に、そんな話をしたところ、

「へえ、ユキちゃんて、案外ナルシストだったんだね」と、笑って言われた。その笑いと、「案外」という言葉は、それを口に出した同僚が思っているよりも深く、ほと

んど抉《えぐ》るように、由紀子を傷つけた。
（あたしなんか、自分で自分のことじいっと見つめるような、それほどの顔してない
って言いたかったんだろうな、きっと）
口には出さなかったが――言葉でそうきいて、「そういう意味じゃないわよ」など
と、苦しい嘘《うそ》を聞かされるのはもっと嫌《いや》だったからだ――心のなかでそう思っていた。
由紀子はそんなふうに考える娘だったし、そういう疑い深さは、彼女の暮らしのなか
のありとあらゆる面に、深く根を下ろしていた。もしも由紀子の内面をのぞきこむこ
とができる人間がいたなら、丁度、庭師が貧弱な植木の根元を掘ってみて、それが思
いがけず広く深いところまで根を張り広げているのを見つけて驚くのと同じように、
彼女の内側に巣くっている暗い根のたくましさに、目を見張らされることだろう。そ
して同時に、ある種の薄気味悪さを感じて、腕のあたりをさすりたくなるかもしれな
い……。
由紀子が本を拾った、その日は木曜日だった。午後から雨になり、予報では夜半に
かけてまとまった降雨になると告げていたし、事実、由紀子が会社を出た六時すぎに
は、雨足は土砂降りに近くなっていた。
会社は神田の駅から徒歩で五分ほどのところにある。改札を抜け、新宿方面行きの

快速に乗って御茶ノ水まで行き、そこで中央線の各駅に乗り換えて、東中野まで。一人暮らしのアパートは駅から歩いて十分ほどのところにある。通勤時間は、ドア・ツー・ドアで四十分ぐらいのものだろうか。快速で新宿まで行き、そこで各駅に乗り換えればもう少し時間を短縮することができるのだが、由紀子は新宿駅の喧騒《けんそう》がひどく苦手で、人、人、人で溢《あふ》れそうなホームに立っているだけで頭が痛くなってしまうので、このコースはわざと避けていた。たまに、衣服などの買い物をしたくなったときも、新宿には立ち寄らず、わざわざひとつ乗り越して、中野へ行くことにしている。同僚たちと誘い合わせてデパート巡りや食事などに行くときは、たいていの場合銀座に出るので、この習慣を人に気づかれることもなかった。

神田の駅から電車に乗り、ドアの近くに立って、手摺《てすり》をつかむ。車両は八分ほどの混《こ》み具合で、乗客たちが身体《からだ》に付けてきた雨の匂《にお》いと水蒸気とで、むっとするような空気に満ちていた。由紀子はひとつため息をついて、何気なく頭をあげた。そしてそのとき、網棚の上の文庫本を見つけたのだった。

たぶん、雑誌なら、気にしなかった。放っておいた。手をのばして取ってみる気になったのは、それが文庫本だったからだ。由紀子はとりたてて本が好きなわけでも、読書家でもなかったけれど、気になった。文庫本は、読み終わったからといって、網棚に放り上げて置き去りにしていっていいものだとは思えなかったからだ。

誰かの忘れ物かな、とも思った。でも、ほかの手荷物は持ったまま、文庫本だけを網棚にあげるということはあるまい。これはやはり、無神経な持ち主が、もう要らないやという感じで置いていったものだろう。

右手にはバッグをさげ、左手には傘《かさ》を持っている。由紀子は、傍《かたわ》らの手摺に傘をかけて、バッグを持ち替え、それから頭の上に右手をあげて文庫本をつかもうと試みた。本は網棚の奥のほうに載っていたので、二度、三度と背伸びをしなければならなかった。手摺の脇《わき》に座っている中年のサラリーマン風の男が、眠そうな目をあげて、うんと爪先立《つまさきだ》つ由紀子をちらっと見た。

やっと手が届き、本をつかんだときには、周りじゅうの乗客がこちらを見ているような気がして、きまりが悪かった。すぐにドアのほうへ向き直り、ガラスに映った自分の顔を見た。相変わらずの貧弱な顎《あご》と、短い首がそこにあった。一緒に映っている、背後に、隣に、肘《ひじ》の触れ合うほど近くに、乗り合わせている乗客たちの誰も、もう由紀子のほうに視線を向けてはいなかった。

『赤ひげ診療譚《たん》』

それが文庫本のタイトルだった。作者は山本周五郎。うろおぼえだが、学生時代に聞いたことのある作家名だった。

裏表紙につけられている内容紹介のような文章を読むと、どうやら時代小説であるらしい。正直いって、興味をそそられるものではなかった。時代小説など、読んだことがない。

それでもまあ、行きがかり上パラリとめくってみると、頁《ページ》がはぜるように分かれて、本の真ん中のあたりが開いた。少し驚いた。そこに、はさまっているものがあったからだ。

名刺だった。名刺が一枚はさんである。しおりがわりにでも使われていたものだろうか。由紀子はそれを指先でつまんだ。

株式会社　高野工務店
営業部　昭島司郎
社の住所と代表番号、FAXの番号が刷ってある。裏返すと、

「お住まいのリフォームの御相談は当社へ　見積無料」

と、活字が並んでいる。宣伝文つきの名刺だ。

（あきしま、しろう）

この人が、この本の持ち主だろうか。自分の名刺をしおりにして、この本を読んで

いたのだろうか。そして、読み終えてもう要らないと思ったから、網棚に残して降りていったのだろうか。

時代小説を読むのだから、年配者かもしれない。だが、それにしては名刺になんの肩書きもないのは妙な感じだ。四十、五十の男だったら、部長代理とか、せめて主任とか係長とか、それくらいの役職についていてもよさそうなものだ。ただ「営業部」としか書いてないのは、平社員だからだろう。それなら、この人はまだ若いのかもしれないとも思える。難しいところだ。

そんなことを考えているうちに、電車は御茶ノ水に到着した。乗り降りする人たちの押しあいへしあいにまぎれて、気がついたら、由紀子は『赤ひげ診療譚』を手に持ったままホームに立っていた。

どうやら、この本とは縁があるらしい。それは少し、面白いことのように思えた。拾った本。電車のなかで巡り合った本。

各駅に乗り換えると、由紀子は、素早く座席を確保し、バッグを膝《ひざ》に載せて、最初の頁を開いた。

翌日の通勤電車のなかでも、『赤ひげ診療譚』を読んでいた。例の名刺をしおりがわりに使って、収録されている八篇の短篇小説のうち、四篇まで読み進んでいた。そして、さらに二篇を、その日の勤務時間中に読み終えた。

由紀子が勤めているのは、社員が三十人ほどしかいない、小規模の商事会社である。おもにヨーロッパから、ハウスキーピング用品を輸入している。この業界にはP&Gサンホームとかアムウェイとかの有名大手が各社あるので、小さなところが生き残ってゆくのはなかなか大変だ。由紀子の会社は業務用のものを中心に、ビジネスホテルを顧客に商売をしているのだが、現在は、バブル崩壊以後の未曾有《みぞう》の不景気で、ホテル業界自体が青息吐息の状態だから、大きな業績アップなど期待すべくもなく、現状維持にさえ汲々《きゅうきゅう》としているというのが正直なところである。

由紀子は庶務全般を引き受けている事務員だが、そういう次第だから、暇なことが多い。幸い、直属の上司がそういうところに物分かりがよくて、

「お客が来たときに失礼になるようなことがなければ、仕事のないときは雑誌や本を読んでてもかまわないよ」と言ってくれている。だからこれまでも、事務机に向かって、OL向きの通販カタログなどを見ていることがよくあった。その時間を『赤ひげ』に当てたのだった。

江戸時代に、町医者にかかる金のない貧しい庶民を救《たす》けるため、幕府が設けていた

公共の医療機関である小石川養生所が舞台の小説である。主人公は長崎遊学から戻ってきたばかりの若い医師で、彼と、養生所の束ねである新出去定《にいできょじょう》という医師との二人を軸に、話は展開する。面白いし、一篇一篇が感動的ではあるが、いささかやりきれないような思いがする暗い話が多い。

それだけに、この本を網棚に載せていった、前の持ち主のことが気になった。どういう人間だったのだろう。通勤電車のなかでこういう小説を読み、なおかつそれを置き去りにしてゆく――

それを思うと、やはり、あの名刺がひっかかる。

あの名刺の主と、この本の持ち主とは、はたして同一人物だったのだろうか。そうだとすれば、昭島司郎というのは、『赤ひげ診療譚』を好んで読むようなタイプの男性、ということになる。

だが、由紀子は素朴《そぼく》に、こういう小説に好んで手をのばすのは、やはり女性のほうが多いのではないかと思う。今時の男性で――しかも営業部勤めの平のサラリーマンが、書店の棚からこの本を抜き出して買ってゆく姿というのは、毎日のようにそういうサラリーマンたちを目にしている彼女の頭では、イメージすることができなかった。男性だとしたら、ありそうなのは学生の場合だ。高校生や大学生なら、まだわかる。

だが、それだと、あの名刺はいったい何なんだろうということになる。

（やっぱり、女性かな……）

本の持ち主は女性で、昭島司郎の名刺は、彼女が偶然手にしたものだ、という説もなりたつ。職場の同僚の名刺だということもあるだろう。

しかし、そこでまた由紀子は考える。女が男の名刺を持っていて、それを自分の本のなかにはさんでおくというのはどういうケースだろうか、と。

二人の間柄《あいだがら》が仕事上の付き合いならば——たとえばどちらかがどちらかの顧客だとか上司だとかの場合だ——本の持ち主の女性は、名刺をこんなふうに扱いはしないだろう。由紀子だったら絶対にしない。何かで見咎《みとが》められたりしたら面倒だからだ。

しおりがわりに本にはさむ、という使われ方は、名刺の名前の主にとっては、かなり無礼に感じられるものだろう。上司の名刺など、使えるはずがない。だいいち、電車のなかで本を広げるたびに、上司や仕事相手の名前が出てくるというのは、なんともゾッとしない。

だとすると、いちばん自然なのは、本の持ち主である女性と、名刺の「昭島司郎」とが親しい関係にある、というケースだ。恋人か、あるいは——

（夫婦だってこともあるわね）

だが、それだとすると、今度は、夫や恋人の名刺をしおりがわりにする女、というものをイメージしなければならない。これはまた、ちょっとどうかと思う。彼の名前は、彼女にとっては大切なものであるはずだ。少なくとも、平気でしおりにすることはできないのではないか。

ただ、ひとつ考えられるのは、「昭島司郎」が昇進したり転職したりして、もうこの名刺が必要ではなくなった、という場合だ。夫や恋人の不要になった名刺を、本好きの女性がしおりに使う。これなら、あり得る話かもしれない。

(そうでなかったら、片思いの意中の相手の名刺を大事に持って歩いてるとかいうことかな……だけどそれなら、定期入れにでも隠しておきそうなものだし)

あれこれと考えていると、想像はふくらみ、頭に思い描いていることを確かめたいという気分になってくる。そして、それはさして難しいことではないとも思えてくる。なにしろ、手掛かりはあるのだ。とりあえずは、この名刺の主に会いにいけばいい。まずそこから始めることができる。

問題は、そんなことをする意味があるかということだけだ。

久永由紀子は、自分と自分が歩いてきた人生に——まだたった二十五年の道のりだけれども——どんな種類の幻想も抱いてはいなかった。彼女は、自分が入れられている金魚鉢のサイズを知っている金魚だった。誰に教えられたのでもない。知っているのだ。

それは彼女がのぞきこむ鏡のなかに描かれている。無情なほどにくっきりと書き付けられている。由紀子は映画のヒロインではなく、小説のなかのシンデレラでもない。それをよく知っているから、彼女は行く手に対してなんの期待も抱いてはいなかった。

何も望まなければ、少なくとも傷つくことだけはない。

この名刺を頼りに、昭島司郎に会いに行ってみる。彼に会ってみる。そこから何が始まるか、由紀子には充分すぎるほどにわかっていた。

昭島司郎は、由紀子と同年代の娘のいる、年配の男であるだろう。名刺に肩書きがないのは、もう定年退職間近の窓際族《まどぎわ》であるからだ。彼はそういうポジションに置かれた自分をかなり哀れんでおり、ただ仕方がないと諦《あきら》めてもおり、会社がつくって押しつけて寄越した平社員の名刺を軽視している。だからしおりにも使うことができる

――これがひとつのストーリーだ。

また別のストーリーを考えてみようか。その場合、昭島司郎は由紀子と釣《つ》り合う年齢の青年で、闊達《かったつ》で風采《ふうさい》もよく、由紀子が訪ねてゆくと会ってくれて、彼女の話を面白がってくれる。

だが、その先はない。話はそこでおしまいだ。常におしまいだ。由紀子はサヨナラを言って帰り、昭島司郎は、由紀子がいなくなったあと、高野工務店の同僚たちや、彼に『赤ひげ診療譚』を貸してくれた恋人に、

「ヘンな女が訪ねてきてさ」と、笑いながら話すことだろう。恋人に、

「でもまあいいか。おかげで、君から借りた本が戻ってきたんだからさ」と笑いかける、彼のその声さえ聞こえるようだ。会ったこともない、顔さえ知らないその男の声が。

それらは全《すべ》て、由紀子がのぞきこむ鏡のなかに映っている。あんたの容姿に釣り合う人生などこの程度のものだと。どんな嬉《うれ》しい驚きも、あんたの前には待っていないと。

それが空耳であるとは、由紀子には思えない。箱のなかのカビかけたみかんのように、無造作に選別され、脇に退けられた娘——それが自分だと、彼女は思っている。

そして、目の前にある鏡をのぞきこむことをやめない。そこに映し出されているものを信じることをやめようとしない。泣きもせず、笑いもせず、ただのぞきこんでいる。そして、その鏡が歪《ゆが》んでいることを知ろうともしない。それが久永由紀子という娘だった。

その日は金曜日だったが、由紀子は女性の同僚と軽くお茶を飲んだだけで、午後七時ごろにはアパートに帰っていた。簡単な夕食を済ませ、それから、『赤ひげ診療譚』の続きを読んだ。

読み終えると、眠れなくなった。

由紀子から安眠を奪ったのは、『赤ひげ診療譚』のいちばん最後に収録されている、「氷の下の芽」という作品だった。

そのなかに、おえいという名前の若い娘が出てくる。彼女は、子供を食い物にする親から自分の身を守るため、実際にはそうではないのに、わざとばかの真似《まね》をしている。蠟燭《ろうそく》問屋で女中奉公をしながら、どこの誰ともわからない、本人でさえ「誰だか忘れてしまった」男の子を身籠《みごも》り、一人で産んで、立派に育て上げる覚悟をかためている。

おえいは言う。「男なんてものは、いつか毀《こわ》れちまう車のようなもんです」と。「毀れちゃってから荷物を背負うくらいなら、初めっから自分で背負うほうがましです」

それは彼女が、男に入れあげ、男と遊んで暮らすために子供たちを売り飛ばし、酷《むご》い運命を押しつけて平気な顔をしてきた自分の母親と、その母親を手玉にとって利用してきた男たちとを見つめて育ち、そのなかではじき出した凄《すご》いような現実的な結論であるのだろう。養生所の若い医師は、おえいのこの言葉に、反論することができない。

そしてそれは、由紀子も同じだった。小説のなかの人物に、彼女は頰《ほお》をぶたれたような気がした。テーブルに肘をついて読みふけっていた小説から、慄然《りつぜん》として身を起こし背中をのばした。こんなことは生まれて初めてだった。

「男なんてみんなおなじだ」と、おえいは呟《つぶや》く。「男さえ持たなければ、女も子供も苦労なんかしずに済むんです」

首筋がひやりとするような気がして、由紀子は思わず、手でうなじを撫《な》でた。

これは小説だ、と、自分に言い聞かせた。それに、女がこういう考え方をしなければならなかった時代は、もう何百年も昔のことだ。現代《いま》は違う。現代は――

(違ってるのかしら)

わからない、と、由紀子は自分に首を振る。ただ、確かなのは、これまで彼女が、こんなふうに考えてみたことがなかったということだ。

由紀子は鏡をのぞいてみる。そこに映る彼女の顔は、いつも、選ばれることを期待しながら裏切られてきた顔だ。

学生時代から、ずっとそうだった。もう少し美人に生まれていたなら、と思う。就職するときなど、もっと強くそれを感じた。小さな会社のなかにいても、彼女が配属された部の男性たちが、ひそかに、他の部課にいる新入社員の女の子たちと彼女とを比べて、あからさまに言葉に出しはしないけれど、（チェ、なんでうちにはこんなブスが寄越されるんだろう）と考えているのを、ひしひしと感じた。それは勘違いではないと、由紀子は思い込んでいた。彼女の生活は、そういう思いを軸にして回ってきたからだ。

自分は選ばれることはない。人生の幸せなど、こんな容姿に生まれついた瞬間に、すべて取り上げられてしまった。スタイルだって良くない。ダイエットしても、ボーナスを全額はたいてエステティック・サロンに通っても、はかばかしい結果は得られなかった。鈍重な牛のような身体《からだ》つきと、通りすがりのどんな男の目も惹《ひ》きつけることのできない顔立ち。

整形することを、一時は本気で考えた。それで人生が変わったという体験手記などをむさぼるように読んで、真剣に検討してみたこともある。それでも、結局実行に移さなかったのは、整形してどれだけ美人になっても、見る者が見れば、すぐにそれとばれてしまうと言われたからだ。

それを言ったのは、ほかでもない由紀子の母親だった。

「顔をいじったりしても、しょせんは無駄《むだ》だよ。親や親戚《しんせき》と縁を切って、一生ひとりで暮らすことなんかできやしない。いつかはきっと、誰かの口からもれるんだし、そうでなくたって、やっぱり見ればわかるからね」

そして、とどめのように、こうも言った。

「あんたね、いつかはみんな年齢《とし》をとるんだ。顔形が問題になるなんて、若いときのほんの何年かじゃないの。もっと長い目で自分の人生を考えてごらんよ」

その何年かが問題なのだと、その何年かが欲しいのだと、由紀子は思ったけれど、反論する気力はわいてこなかった。

整形医は、いい医者でいい処置を受ければ、素人目《しろうとめ》にはわからないような自然な顔につくることができると力説する。だが由紀子は、たとえそうであっても、自分が整形をして、それを足場に自信をつけ、望むような人生を手にいれたとしたら、きっと誰か身内の人間が——母でも、なにかというと由紀子をからかってばかりいる兄でも、寡黙《かもく》なだけが取り柄《え》の父でも——それを外部に向かってもらしてしまうに違いないと確信していた。みんなしてあたしを引きずりおろすだろう。身の程を知れ、と。

そういうふうにしか、考えられなかった。

たった一篇の小説だ。つくりごとだ。だが、そのお話のなかの娘のひと言が、由紀子を揺るがせた。彼女が閉じ籠もっていた、ある意味では安易な考えのなかに、稲妻のように割って入ってきた。

いったい、あたしは今まで、一人で立つということを考えたことがあっただろうか。このおえいのように。自分で自分の生きる道を探すということを、一度でも真面目《まじめ》に考えてみたことがあっただろうか。

六畳間に三畳のキッチンのついた、この居心地のいいアパートのなかにおさまって、鏡ばかり見てきた久永由紀子は、金曜の夜のど真ん中にひとり、立ち止まって考えた。あたしは一人で生きる意味を持とうと思ったことがあっただろうか。

不意に、猛然と、この本を持っていた人物に会ってみたいという思いがこみあげてきた。あたしとこの本をつないでくれた、網棚《あみだな》に文庫本を忘れていった人に。

2

イワさんがその男に気がついたのは、彼が田辺書店のなかに入ってきて、三十分ほどたってからのことだった。

かなり混《こ》みあっているときでも、店内のお客の動静については、きちんと把握《はあく》している。それがプロ——というと威勢がいいが、これこそ習うより慣れろというもので、田辺書店を任されて以来、年に数日しか休みをとらずにレジの前に座り続けてきたイワさんには、この店のなかのことは、レントゲンを当てなければ見ることのできない自分の肺や胃袋の状態よりも、はるかによくわかるのだ。

その男は、入ってきてしばらくのあいだは、他の客たちと同じように、文庫本や新書の棚のあいだを、面白そうなものを物色するような風情《ふぜい》で行ったり来たりしていた。立ち読みしている先客のうしろを通り抜けるとき、その客の読んでいる本をのぞきこむような動作をするので、嫌《いや》な顔をして振り返られたりもしていた。

とはいえ、とりたてて注意を惹くような客ではなかった。土曜日の午後のことで、田辺書店の店内の右半分は、漫画の立ち読みをする小中学生たちで満杯になっている。イワさんの関心も、どうしてもそちらのほうに向けられがちだった。

(稔《みのる》がいればな……)

頭のなかで、もそっとそう考えたが、すぐに打ち消した。

イワさんこと岩永幸吉《いわながこうきち》、六十五歳。遺友のものだったこの古書店の雇われ店主の生活も、ようやく板についてきた。材木問屋で四十年間をつつがなく勤めあげ、書籍についての知識など皆無に近かったイワさんだけれど、世の中、なんでも為《な》せばなるものだ。いや、為せばなるという勢いでもって生きている人間には、世の中はときどき点を甘くつけてくれるものだ、と言ったほうが正解かもしれない。

だがしかし、ど素人のイワさんが、曲がりなりにもこうして古書店主らしい風格をそなえるようになることができたその背景には、イワさんの、たった一人の不出来な孫、稔十七歳の存在があったということも忘れてはならない。

イワさんの一人息子のそのまた一人息子である稔は、多忙な共働き夫婦である両親とともに横浜の家に住んでいるのだが、これまでは、毎週末になると、田辺書店を手伝いに来てくれていた。土曜の午後からやってきて夜まで働き、イワさんのアパートに泊り、翌日の日曜日も夕方まで働いて、

「じゃ、また来週ね、おじいちゃん」

と、横須賀線で帰ってゆく、という暮らしをしていたのである。無論、日当はがっちりぶんどってゆくが、ただで小遣いをねだりにくる孫ばかりが新宿渋谷原宿あたりを闊歩してはばからない今日、イワさんの不出来な孫は、一応働いてから報酬を持ってゆくのだから、貴重な存在であると言わねばならないだろう。

いや、ならないだろう、ではない。ならなかっただろう、だ。過去形だ。イワさんは、このお孫さんと盛大な喧嘩《けんか》をやらかしてしまったのである。つい先週の週末のことだ。

ことの起こりは、稔の夜のハイカイだった。

孫との喧嘩で、自分で思っていた以上のショックを受けたイワさんが、この店の現在の持ち主であり遺友・樺野裕次郎《かばのゆうじろう》の息子である樺野俊明《としあき》にこの話をしたとき、「稔が夜中にハイカイしよるんだ」と言ったら、俊明は、

「そりゃまた風流じゃないですか」と受けた。冗談じゃない。何が悲しくて十七歳の高校生が夜中に俳句をひねったりするものか。徘徊《はいかい》、すなわちうろつき回るのである。もう三月以上も前からのことだ。

その原因が、どうやら恋愛沙汰《ざた》にありそうだということは、イワさんにもすぐに見当がついた。そして、とりあえずは静観の姿勢をとっていた。稔も昔でいうなら元服の年齢だ。色恋のひとつやふたつ、あって当然だろう。あまりに石部金吉《いしべきんきち》だと、かえって心配なような気もする。

だがしかし、それは、相手が誰だか判明するまでのことだった。

稔の色恋の相手は、御年二十七歳の女性だった。十歳も年上なのである。しかも、

職業はクラブのホステス。それも、女子大生が夜だけボディコンシャスのワンピースを着て「こんばんは」するというようなものではなく、れっきとしたプロの女性なのだった。

イワさんは、すべての分野において、プロというものに多大の尊敬をはらっている。定年退職の前日まで、新木場の貯木場をタグボートに引かれて出入りする筏《いかだ》の上を、横断歩道を渡るよりもすいすいと歩くことができたのは、自分がプロだったからだ。そして、自分はそれに相応《ふさわ》しい処遇を受けてきた。ならば、外に対しても同じようにふるまおう――というのが基本的な方針だからである。そこには差別も偏見もない。

だが、イワさんは十七歳の不出来な孫を可愛《かわい》がっている祖父であり、しかもこの祖父と孫の間柄は、通常の祖父・孫の関係よりもかなり――どう見積もっても三倍ぐらいには親密で風通しがよく、言いたいことを言い合ってもなおかつ協力関係を保つことができるというぐらいの、気持ちのいいものだったのだ。めずらしいほど、うまくいっていたのだ。

イワさんから見れば、稔の途方も無い色恋の相手は、その関係に、マグニチュード八の威力でもって襲いかかってきた天災のようなものだった。

差別も偏見もない。だが、孫は可愛い。そして、常識人であるイワさんの心のなかには、十七歳の高校生と二十七歳のクラブのホステスの恋愛を、暖かく見守ってやれるだけのゆとりはない。常識とは、人の心のなかに居座ると、えらく場所をとるものなのだ。

彼女の名前を、イワさんは知らない。一度、稔が教えてくれようとしたのだが、イワさんは耳をふさいで聞かなかった。名前を知りたくはない。もちろん顔も見たくない。会ってみて、相手の女性が実に気立てがよかったりしたら、みすみす自分の首を絞めることになる。

稔が彼女と知り合ったのは、深夜のコンビニエンス・ストアでのことだった、という。中間試験のとき、夜食を求めてふらりと外に出て、近所のコンビニに入り、そこで彼女と出会ったのだという。

「ケースのなかにひとつしか残ってなかった牛乳を取り合うみたいになっちゃったんだ」

かなり照れながら、稔はそう説明した。

「そいでもって、結局は向こうが譲ってくれたんだけど、そのときに、『ここ、よく来るでしょう、前にも見かけたわよ』って言われてさ。確かに、僕は、試験の時期とかになると、ちょいちょいそのコンビニへ行ってたからね……」

彼女は自分がクラブで働いていることを話し、仕事の帰りにちょっと買い物をしようとすると、ここが便利なのだと説明したという。

「翌日も、なんとなくいい気分でさ。彼女来てるかなあって思って、前の晩と同じ時間にコンビニへ行ってみて、そしたらちょっと遅れて彼女がやってきて――」

そこから歩いて五分ほどのところにある終夜営業のレストランまで、一緒に夜食を取りに出かけた。それがスタートだったというわけだ。

イワさんが稔と大喧嘩をやらかした先週の末には、彼らの仲は、既に、稔が相手のマンションに出入りするところにまで進んでいた。出入りしてどうするんだと気色ばむイワさんに、

「トランプしてるんだとでも言えば、おじいちゃんは安心するんだろ」と稔が答え、そこでイワさんは伝家の宝刀を抜いた。四十年間材木を担《かつ》いで鍛え抜いた腕にものを言わせて、稔をはり飛ばしたのである。

以来、稔は田辺書店を訪れなくなった。

彼の両親であるイワさんの息子夫婦も、うんともすんともいってこない。イワさんは胃の底が焦《こ》げつきそうなほどに苛々《いらいら》しているのだが、この件に関しては、電話さえリンとも鳴ってくれない。

樺野俊明は、事情をきくと、

「しばらく時間をおくことですよ、イワさん」と、この場合、誰でも言いそうなことを言った。こと色恋沙汰に関しては、誰に相談を持ちかけても、みんな標準的な答えしか返して寄越さないものだ。なぜかといったら、こんなことに責任をもった答えを述べることのできる人間などいないからで、従って、安全剃刀《かみそり》的な、どっちへ転んでも怪我《けが》のない、温和なアドバイスが差し出されることになる。

俊明だって、その気になれば、

「僕が相手の女に直談判《じか》して別れさせましょう」ぐらいのことを言えない男ではない。だが、それが非常に危険な技であることを——稔とイワさんの間柄《あいだがら》を、キューバ危機当時の米ソの関係のように冷え込ませてしまう可能性のある奇手であることを、彼はよおく承知しているのだ。

そういう次第で、繁盛している田辺書店のレジの椅子《いす》に腰かけ、イワさんは島流しにあったような気分でいた。稔がいればなあ、という嘆息がわいてくるたびに、顔の周囲を飛び回る蠅《はえ》を追い払うような勢いで、それをぴしゃりと否定する。またため息が出そうになる。また、うんとこらえる。その繰り返しだ。

だから、先ほどの男性客が、なんともおかしなことをやり始めたことにも、すぐには気づかなかった。そばに稔がいて、イワさんが平和なおじいちゃんとして存在していたときなら、その怪しげなふるまいが始まった途端に見咎《みとが》めていたことだろうが、今回は勝手が違った。

それだけに、気がついてからあとの行動は、いつもよりずっと荒っぽくなってしまった。イワさんは、歴史・時代小説の文庫本の棚の前に陣取っているその男の腕をつかむと、「おい、お客さん、あんた、さっきから何してるんだね?」と、大音声でき いた。男はすくみあがり、店中の視線が二人のほうへ飛んできた。

その男が、昭島司郎だった。


「古本に、名刺をね……」

レジをアルバイトの店員に任せ、なかば引ったてるようにして昭島を奥の事務室に連れ込んだイワさんは、彼の話を聞き終えて、とりあえずは唸《うな》るしかなかった。

「まあ、新手の宣伝方法ではあるかもしれないがねえ」

昭島司郎は三十そこその男で、人懐《ひとなつ》こそうな丸い目と、それとはいささか不釣合《ふつりあ》いなほど意思の強そうな頑丈《がんじょう》な顎《あご》を持っていた。一戸建の家やマンションのリフォームや内装を中心に商売をしている工務店で営業マンをしているという。

「うちなんかは資金がないから、派手な広告はうてません」

工夫が第一なのだと、テーブルごしに身を乗り出して熱弁した。

「僕、わりと本は好きで、新刊書店にもよく行くし、この店にも何度も来たことがあるんですよ。親父《おやじ》さん、僕の顔、覚えてないかなあ」

イワさんはむっつりと首を横に振った。あいにく、稔のことで頭がいっぱいで、近ごろはお客のことなど気にかけていないことが多い。今さらのようにそれに気づいて、自分で自分に向っ腹が立った。

昭島司郎は、イワさんが不機嫌《ふきげん》な顔を見せたぐらいのことではへこたれなかった。快活な口調で、「でね、もう半月ぐらい前だったかなあ。ここで買った本のなかに、古い名刺がはさまってたことがありましてね。それを見た瞬間、これだって思ったんです。そんなふうに、本に名刺をはさんでおけば、とにかく最低でも一人の人間が見てくれるわけでしょう?」

それで、田辺書店にやってきては、イワさんや店員たちの隙《すき》を見て、棚から本を抜き出し、頁《ページ》のあいだに、自分の営業用の名刺をはさみこんでいたというわけだ。

「新刊本屋でもやってみようとしたんですけど、人が多いし、こういう古本屋さんより店員の数も多いでしょう。どうも巧《うま》くいかなくってね」

「するとあんた、今までに何度かうちの本に名刺をはさんでずらかってたのかね？」

稔の件に気をとられていた一週間のあいだに、とんだ不覚をとっていた。

昭島司郎は、悪びれるふうもなく笑った。「そうなんです。ただ、ジュニアものや新書のノベルスなんかにははさんでませんよ。リフォームの必要な持ち家を持っている年齢層が買いそうなのは、ビジネス本とか、ハードカバーの硬い本とか、文庫なら時代小説とかノンフィクションとかじゃないかと思いましてね。これでも、そのへんの勉強をちょっとして、それなりに頭使ってやったことなんですよ」

イワさんは、今はいている靴下《くつした》を脱ぎ、そのなかに言葉を詰め込んで、それでこの野郎を殴ってやる！　というようなつもりで吐き捨てた。「二度と、そんな頭を使わないでもらいたいね。うちに出入りするのもやめてほしいよ。あんたはお客じゃない」

怒鳴りつけられた昭島司郎は、バケツの水をぶっかけられそうになってあわてて逃げ去る野良犬《のらいぬ》のように、早々に席を蹴《け》っていなくなった。あとになって、イワさんは、彼のやったことは確かに不愉快で無神経なことではあったが、あのときの自分の怒りのなかには、多分に八つ当たりの気分が含まれていたなと、ひとり密《ひそ》かに反省した。

昭島司郎は、もう田辺書店にはやってこないかもしれない。やってくるとしても、かなり間をおいてのことだろう。それとも、少し危険なくらい図々《ずうずう》しい若者のようではあったから、けろっとした顔で、すぐにも店をのぞきにくるかもしれないが……。

（電話でもして、一応、様子を見てみるかな。気になるしなあ）

彼が店の文庫本のなかにはさんでいった名刺を抜き取る作業をしながら、イワさんは考えた。

だが、あまり早くにこちらから動きを起こすのも業腹《ごうはら》だという気はする。まあ、半月かそこらは放っておいてみるか、とも思った。そうやって、稔のいない週末の忙しさを、そのあと二回乗りきり、その月も末になった月曜日の朝、朝刊を広げて、イワさんは、驚きに、くわえていた歯ブラシを落としてしまった。

「無理心中か　埠頭《ふとう》から死のダイビング」

見出しが目に飛び込んできた。晴海《はるみ》だ。昨日の深夜、乗用車が一台、東京湾めがけてノン・ブレーキで突っ走り、そのまま海に飛び込んで、運転席の女と、助手席の男が死亡した。二人とも、水中五メートルの深さから、車ごと引き上げられたのだ。

その男女は、高野工務店の社員だと書いてあった。女の名前は能勢《のせ》しずえ、三十五歳。そして、男の名前が――

昭島司郎、三十歳。

3

三ヵ所の電話ボックスを渡り歩き、さんざんためらって、ようやく、久永由紀子は高野工務店に電話をかけた。思い付きを実行に移すのは——たとえ、それがどれほど強い衝動を伴っていようとも——由紀子のような娘にとっては、歩道橋から路上に飛び降りるような勇気が必要だったのだ。

「営業部の昭島さんをお願いします」

早口にそう言うと、喉《のど》が詰まって息苦しいほどだった。電話に出た女性は、こちらの名前を問い返すこともなく、「お待ち下さい」とだけ言って、由紀子にオルゴール音を聞かせた。「八十日間世界一周」だった。偶然だが、由紀子が使っている留守番電話と同じオルゴール音だった。なぜかそれで、ほっとした。

しばらくして、そのオルゴール音が消え、かわりに、ガタガタ、ギシギシという騒々しい音が響いてきた。誰か電話のそばの人間が、乱暴に椅子を引いて腰をおろしたのだ。由紀子の胸の奥で、心臓が、行進の練習をする幼稚園児が足並みを合わせようとスキップしたときのように、二、三度たたらを踏んだ。

「お待たせしました、昭島です」

営業マンだ。よく通るいい声をしていた。話し方もはっきりしていた。由紀子は受話器を握ったまま、その姿勢で固まってしまった。

若い声だ、と思った。そうすると、いろいろ立てた仮説のなかの、どれが当てはまるだろうか。彼の名刺を、彼の恋人や妻が使っていたということになるのだろうか。

「もしもーし？」

快活な声が呼びかけてくる。

大きくひとつ、息をしてみた。急に、空気が水飴《みずあめ》のようにねっとりしたものに変わり、吸い込むのも吐き出すのも難しくなったような気がした。

「木村さん、この電話なあに？　ホントに俺宛《おれあ》てかい？」

電話の向こうで、昭島司郎が、おそらくは電話をつないだ女性に文句を言っているのだろう。大きな声が聞こえてきた。

「え？　そんなはずないわよ。確かに女の人が——」

そう言いながら、さっきの女性の声が戻ってきた。「もしもし？」

由紀子は、開けてはいけないドアを開けてしまい、また急いで閉めるときのような勢いで、受話器をフックに戻した。ガチャンという音が、鼓膜に響いた。

その必要もないのに、息を切らしていた。


電話では、駄目《だめ》だ。

待たされているあいだに勇気がくじけてしまう。受話器を置いてしまえば逃げることができるので、何度かけても、土壇場《どたんば》で怖《お》じ気づいてしまえば、結果は同じだ。

無謀なようだけど、むしろ、直接訪ねていったほうがいいかもしれない。逃げることも、ごまかすこともできない方向に、自分を追い込むのだ。

そのために、由紀子は一日、休暇をとった。彼女が平日に有給休暇をとるなど、実に珍しいことだったので、上司に理由を尋ねられたが、「法事なんです」と答えると、すぐに納得した顔をされた。

なんだか、つまらないような気がした。かりにも、お見合いですとか、デートですとか言えばよかった。有給休暇を法事でつぶすような娘にしか、あたしは見えないんだろうか。

そこでまた怯《ひる》みそうになった由紀子を励ましたのは、「氷の下の芽」のなかの、おえいの言葉だった。由紀子はその部分だけを何度も繰り返し読み返していた。

こんなふうな驚きを与えてくれた文章と巡り合うきっかけをつくってくれた人を、わたしは探しにいくのだ。決して恥ずかしいことじゃない。不似合いなことでもない。自分のために動きだすことが、今のわたしにとって、ほかの何よりも必要なことなんだ。

もう、待つのはやめだ。

月末に近い、週のなかばの水曜日だった。由紀子は名刺の住所をたよりに、高野工務店を訪れた。彼女の嫌《きら》いな新宿の街の、高層ビル街を左手に見る場所にある、四階建てのビルだった。一階の受付のあるロビーは、いささか気恥ずかしくなるような麗々しいガラス張りで、表にいても、カウンターに向かって座っている受付嬢のストッキングの伝線まで見えてしまいそうなほどだった。

自動ドアを踏んでロビーに入るまで、十分ほど街路でためらっていたろうか。昼休みの直前、十一時五十分。この時刻を選んで訪ねていけば、外回りの営業マンでもいったんは帰社していることだろうし、昼休みにかかるから、仕事の邪魔をせずに話をすることもできる。だが、あまり長いことぐずぐずしていると、昭島司郎は同僚たちと昼食をとりに外出してしまうかもしれず、そうなると、由紀子は彼が帰ってくるまで一時間近く待たなければならなくなる。そのあいだに、また怖じ気づいてしまいかねない。

（早くロビーに入らなきゃ）

焦《あせ》る由紀子の背中を押してくれたのは、秋の神だった。彼女が背を向けて立っていたポプラの街路樹から、枯れ葉が一枚舞い落ちて、肩にとまったのだ。誰かに触れられたと思い、ぎょっとして振り向いた由紀子の肩から、それは優雅な弧を描いてアスファルトの地面に落ちていった。

それで、ふっきれた。由紀子は自動ドアへ向かった。


昭島司郎は、由紀子が思っていたよりもずっと若く、ずっと気さくな感じだった。上着だけ、営業用の制服を着ていたが、スラックスやワイシャツは、由紀子の目に、それとすぐにわかる高級品だった。母親が紳士服の問屋で長いこと働いていたので、そのへんの鑑定眼には自信があった。

左の袖口《そでぐち》からのぞいている腕時計も、雑誌の広告などで見たことのある輸入もののように見えた。もしも安物のイミテーションでなければの話ではあるが。しかし、衣服にあれだけの良いものを選ぶ男性ならば、時計などにも気を遣うはずだ。偽物《にせもの》ではあるまい。

これまでの由紀子だったら、相手がそういう男性だというだけで、「おはようございます」も満足に言えないほどに萎縮《いしゅく》してしまったことだろう。いや、今だって、我に返ったら、頰《ほお》を紅潮させて、客観的に見たならなんのつながりもない男性を訪ねてきて、文庫本がどうのこうのとしゃべっている自分に気が付いたら、その場で消えてしまいたくなるに違いない。

それでも、由紀子がその場を動かなかったのは、やりとげることができたのは、昭島司郎が笑顔を返してくれたからだった。彼女が訪ねてきたことを、喜んでくれたからだった。

「そう、『赤ひげ診療譚』はあなたのとこへ行ってるんですか。そうかあ」

嬉《うれ》しそうに笑って、受付のカウンターを、こぶしで軽く打つ真似《まね》をした。彼らは高野工務店三階にある、営業部の受付の前で、立ったまま話をしていたのだ。周囲を社員たちが通り過ぎ、好奇の目を向けてくる。

「いや、あれはね、実は新しい宣伝の方法で――」

昭島の口から説明を聞かされて、正直に言えば、由紀子は唖然《あぜん》とする思いだった。では、昭島司郎はあの小説を読んでもいないのだろうか。

「名刺をはさんだのは、田辺書店て古本屋なんですけどね」

下町にあるその古本屋の場所を説明すると、「もともとは僕の知人がひいきにしてたんですが、そういうところだから、小さい店で、親父さんがレジで頑張っててね。何も買わないで出ていくんじゃさすがにきまり悪いから、何冊か適当に選んでレジに持っていって。そうそう、そのなかに、その知人に勧められた本が入ってたな。タイトルを覚えてたから、抜き出して買ったんだった。だけど、僕は小説なんか読まないから、それをね、毎日通勤電車のなかに持ち込んじゃあ、網棚《あみだな》に載せて降りてたんですよ。もちろん、それも販促のためにね」

たったそれだけのことだったのか。

自分でも、肩がすうっと下がるのがわかった。こんなことってあるんだろうか。昭島の陽気な声が、何かをしゃべり続けている。由紀子の耳を、その声が通過してゆく。

これまでずっと、由紀子は、自分は誰に選ばれる価値もないと思い続けていた。たったひとりで、片隅《かたすみ》で待惚《まちぼう》けをくうのが運命なのだと思っていた。何かを求めて追っていけば、追っていった相手に邪険にされると思っていた。

それなのに、これはどうだろう。追ってきて、追いついた相手のほうが、由紀子を失望させている。

この人は、「氷の下の芽」を読んでいないんだ。おえいのあの台詞《せりふ》を読んでいないんだ。だから、あの本を網棚に放り上げて降りてしまうこともできたんだ。気づかないうちに、由紀子はほほえんでいたらしい。昭島が話をやめて、にっこりと笑いかけてきた。

「何がおかしいの？」

「いいえ、べつに」

由紀子もほほえみ返した。実に愉快な気分だった。

「名刺が御縁で、せっかく訪ねてくれたんだから、本当ならもう少しお話ししたいんですけどね、このあと仕事があって」

とってつけたような昭島の言い訳を、由紀子は笑って受け流した。誘われたって、こっちから願い下げだと思っていた。こんなことも、初めてだった。

エレベーター・ホールまで行って、一度だけ振り向いた。すると、開け放しのドアの向こうのオフィスで、昭島が、彼より少し年長で、スーツ姿の姿勢の美しい女性と、顔を寄せるようにして話をしているのが見えた。昭島は笑っていたが、相手の女性は笑っていなかった。ショートカットの襟足《えりあし》が美しく、化粧も控え目で、くっきりとした横顔など、知性を感じさせる人だった。ひょっとすると、昭島の上司であるのかもしれない——

（でも、違うかな）

昭島は、オフィスの社員たちからは隠れるようにして、相手の女性の右腕の肘《ひじ》のあたりをやんわりとつかんでいる。心の距離が近くなければ、ああいうことはしないだろうと思った。

じっと見つめていると、その視線に気づいたのか、二人がこちらに顔を向けた。昭島は、口元だけに薄い笑みを残していたが、相手の女性は笑っていなかった。

正面から見ると、きれいに整った彼女の顔のなかの、ある一ヵ所だけに、バランスの崩れた部分があることがわかった。左の眉毛《まゆげ》のすぐ上に、目立つ黒子《ほくろ》がひとつ。

由紀子の背後で、エレベーターのドアが開いた。彼女は二人から視線をそらし、そちらへ足を踏み出した。

それきり、昭島司郎には会わなかった。

『赤ひげ診療譚』も、まだ彼女の手元にある。名刺は捨てた。この小説を読んでいない人物の名前を、このなかにはさんでおくことはないと思ったからだ。

ところが、高野工務店を訪ねてから五日後、由紀子は、ほかでもない昭島司郎の名前を、新聞の上に見つけることになる。

「無理心中か　埠頭から死のダイビング」

4

イワさんは、その若い娘が店のなかに入ってきてすぐに、普通のお客ではないと感じた。何かを探すような――書店に来て、本だけではないものを探すような顔をしているのは、ただの客ではない。

地味な色のスーツを着ている。髪型もシンプルだ。とりたてて器量よしというほどの娘さんではないが、雰囲気《ふんいき》が柔らかくて、イワさんの目には好ましく映った。レジに声をかけにくるかな？

彼女は不思議なことをしていた。歴史・時代小説の棚の前にいて、端のほうから順番に本を抜き出しては、ぱらぱらとめくってゆくのだ。内容を流し読みしているわけではなさそうだ。それにしては、棚に戻すタイミングが早すぎる。

夕暮れで、店内には明かりが点《とも》っていた。会社帰りのサラリーマンや、ＯＬがよく訪れる時間帯だ。比較的空《す》いており、イワさんはゆっくりと腰を落ち着けて彼女の行動を見守ることができた。

彼女は作業を続けている。まるで、本のあいだに何かはさまっていないかどうか探しているかのように見える——

そこでイワさんは、ふと気がついた。ちょうど同じようにして、本を抜き出しては名刺をはさんでいた営業マンが、交際していた年上の女に無理心中を仕掛けられ、死んだというニュースを目にしたばかりだったな、と。

あの娘さんは……？

立ち上がり、ゆっくりと彼女に近づいて、声をかけた。

「お客さん、何かお探しですか？」

久永由紀子と名乗った娘は、イワさんが勧めたほうじ茶に、嬉しそうに手を伸ばした。朝夕は冷えるようになりましたね、と、中年の主婦が挨拶《あいさつ》の前置きに言うような台詞を口にした。

おとなしい、自己主張することの苦手な娘であるように思えた。ひっこんでいることを金科玉条としている、そういう人生観のうしろに隠れて生きている、そんな娘のように見えた。

だが、ここを訪ねてきた理由を問うと、その静かな声音《こわね》のまま、淡々と話してくれた。彼女の声がもっとも熱を帯びたのは、「氷の下の芽」の、おえいの台詞を言う時だった。

「今まで、小説を読んで、あんなにぎょっとしたことってありませんでした」

かすかにほほえみながら、由紀子は言った。「ヘンな話だけど、わたしたちの世代には、よほどおかしな人と付き合わない限り、ろくでなしの男と係《かか》わりあって、そのせいで人生が駄目になる、なんて話は、おとぎ話と同じくらい現実味が薄いものなんです。だから、男なんてものは途中で毀《こわ》れちまう車だ、なんて台詞、聞いたことなかった」

イワさんは、思わず笑っていた。「そんなふうに言っていられるお嬢さんは幸せなんですよ」

イワさんは、今日この時代でも、ろくでなしの亭主のおかげでさんざん苦労させられている女性を幾人か知っている。

だがな……とも思った。たしかに、この娘さんの言うとおりかもしれない。世の中は変わってきている。男と女の係わり合いかたも、形を変えてきている。

ふと、稔のことを考えた。しかし、あいつはまだ高校生なんだぞと思って、ぴしゃりと蓋《ふた》をした。

由紀子は続けた。「あの、おえいみたいな生き方は、わたしにはできません。できませんけど、あの心の強さは魅力的だと思いました。わたしが探しても探しても見付けることのできなかった答えが、ぽんと目の前に転がってきたって感じで。だから、あの本を網棚に載せていってくれた人に会いたくて、昭島さんを訪ねていったんですけど」

「彼は気の毒なことになりましたな」

イワさんは、無意識のうちに顔を歪《ゆが》め、昭島司郎がせっせと文庫本に名刺をはさんでいたあたりに目をやった。

「お嬢さんは、事件の詳しい背景なんぞをご存じですか」

由紀子は首を振った。「新聞で読んだだけでした」

「私もね、似たようなもんですわ。ですが、今日発売の週刊誌に、記事が出てました」

昭島司郎は、目先のきく青年であり、自分でも自分のそういう能力を自覚していたらしい。だが、世の中が、彼の視界よりももっと広いところで動いているものであることを頭において行動することを忘れていたらしい。

彼には多額の借金があった。株式投資でできた借財だった。それを埋めるために、友人知人から金を借りまくり、あまつさえ、会社の金にも密《ひそ》かに手をつけていた。

ただ、一介の営業マンである彼に、そう簡単にそんなことができるわけもない。手引きをしたのは、彼の上司であり、数年来の恋人でもあった能勢しずえだった。彼女は、個人的にも、彼に言われるまま、かなりの金を貢《みつ》いでいたようだという。

雑誌に載っている顔写真を見ながら、由紀子が声をあげた。「能勢しずえさんて、わたしがあの日、昭島さんと一緒にいるのを見掛けた女性です」

しずえの左の眉の上に、目立つ黒子がある。それを指して、由紀子は言っているのだった。

昭島もしずえも独身だったが、しずえのほうが結婚を焦っていたのに対し、昭島はそうでもなかったらしい。二人の関係がどういうきっかけで始まったのか、記事でも詳しくは触れていないし、今となっては調べようもないだろう。

彼らの夜の埠頭《ふとう》からのダイビングが無理心中であったという推測は、車が海に飛び込む直前に、彼ら二人が車のなかで激しく言い争っている声を聞いた、という証言があったからだった。口論を耳にしたのは、毎晩埠頭のあたりをジョギングする習慣のある中年のサラリーマンで、彼は、以前にも何度か、埠頭の桟橋《さんばし》の近くに車を停《と》め、夜の海を眺めている昭島としずえを見かけたことがある、とも証言している。

無理心中の直接の原因が何だったのか、それも憶測するしかない。だが、高野工務店には、来年早々税務監査が入ることになっていた。それに備えて、経理関係の帳簿などのチェックが始められていた。横領の事実が露見することを恐れて、しずえはにっちもさっちもいかなくなってしまったのだろう。

イワさんの見た昭島司郎は、頭の回転が早く、押しが強く、自分のいいと思ったことはすぐ実行に移すタイプの男のようだった。実際、そういう男でなかったら、古本に名刺をはさみ、それを見て訪ねてきた若い女の子を喜んで出迎えたりするまい。

久永由紀子が訪ねていったとき、彼は正直に嬉しかったのだろう。自分のやったことに反応が返ってきたのを知って、気分が良かったのだろう。だから愛想が良かった。由紀子が見た、彼が笑顔でしずえに話しかけていたという光景も、その延長線上にあるものだろう。

「あのとき、しずえさん、わたしのほうをじっと見てました」

そのときを思い出しているかのように遠い目をして、由紀子が言った。

「何を考えてたのかしら」

少し考えてから、イワさんはゆっくりと言った。「色恋が絡《から》むと、よく知っているはずの人間の考えていることさえわからなくなるもんですよ、お嬢さん」

また、不用意に稔のことを思い出してしまった。あいつはどうしているだろう。俺《おれ》の孫なんだぞ。まだ十七なんだぞ。どうしているんだろう。

「本屋さん」と、由紀子はイワさんを呼んだ。「ちょっと考えたんですけどね。しずえさんは、このお店に来たことがあったでしょうか」

イワさんは首をひねった。純粋に、見当がつかない。「お客さんの顔を全員覚えているというわけじゃありませんからねえ」

「そうでしょうね」由紀子はうなずき、ぱらぱらと客の散らばる店内に目を向けた。「昭島さんは、ここから本を買っていったとき、知人に勧められた本も何冊か選んだって言ってました。その『知人』、ひょっとしたらしずえさんだったんじゃないでしょうか」

イワさんは、胸騒ぎのようなものを覚えながらうなずいた。「そうかもしれませんな」

「そうすると、しずえさんはあれを読んだかもしれませんね。読んで、昭島さんに勧めたのかも」

由紀子の声が、低くなった。「読んで、いろいろ考えたかもしれない。わたしはあのおえいの台詞で、目隠しをとられたような気分になったけど、しずえさんはそうじゃなかったかもしれないし」

　イワさんは考えた。男なんてものは、いつか毀れちまう車だ、と言い切って、女が真正面から苦労していた時代は、ひょっとすると、今よりも良かったのかもしれない、と。厳しい時代だったが、今よりも、物事がはるかに単純だった。

　今はどうだろう。由紀子の言うとおり、昔のようなろくでなしの男は数が少なくなった。それだけ、世の中全体が豊かになったからだ。だが、その代わり、誰も彼もがいつもそわそわしている。自分の顔ひとつ正しく映すことができなくて、始終鏡を探している。鏡を求めて恋愛してるんじゃないかと思うほどだ。

　いや、それとも、これもまた別の意味で、「途中で毀れちまう車」なんだろうか。役に立たなくなる、走らなくなる車。山本周五郎が、おえいの口を借りて言わせたあの台詞は、形こそ違え、今も生きているのかもしれない。

「しずえさん、死ぬ前に、もう一度このお店を訪ねてこなかったでしょうか」と、由紀子が言った。「もし、昭島さんが言っていた『知人』が彼女なら、しずえさんはここをひいきにしてたんですもの。来ててもおかしくないような気がします」

　そうだ……。

唐突に思いついて、イワさんは事務室を出た。驚いたように目を見張った由紀子が、ちょっとためらってから、あとを追ってきた。

時代小説の棚に、山本周五郎の文庫本が並んでいる。ほとんどひとつの棚を占領している。そのなかに、『赤ひげ診療譚』があった。

昭島としずえが死んで、まだ五日ほどしか経《た》っていない。由紀子が想像していたとおり、もし、心中の直前に、しずえがここに来ていたなら――

彼女は「氷の下の芽」を読んだ。おえいの台詞を、どう聞いたろう。

イワさんは本の頁《ページ》をめくった。さして厚くない文庫本が、ちょうど真ん中あたりできれいに割れた。

そこに、一枚の名刺がはさんであった。

株式会社　高野工務店
　営業部次長　能勢しずえ
イワさんは、黙ってその名刺をもとに戻した。毀れちまった車の車輪が、カラカラと空回りする音を聞いたような気がした。

淋《さび》しい狩人《かりゅうど》

1

「やあ、お久しぶりですな」

レジの机の上に散らばった伝票やチラシの束から目をあげて、イワさんはそう言った。

平日の昼すぎのことで、田辺書店のなかには、片手で数えることのできる程度のお客しか入っていなかった。半分開けた入り口の引き戸の向こうでは、満開になったツツジの植え込みが、五月の風に吹かれている。埃《ほこり》っぽく強い風にあおられて、ときおり、軒に下がった幌《ほろ》のはためく音が聞こえていた。

「こんにちは」

レジの前にすらりと立った、若い娘がそう言った。口元にかすかに笑みを浮かべ、白いブラウスの胸元に、一冊の単行本を、大事そうに抱きしめている。

彼女がすぐ傍《かたわ》らに近づいてくるまで、イワさんはそれと気づかなかった。それだから、居眠りをしているところを先生に発見された生徒のように、ちょっとばかりバツの悪い思いをした。

「今日は静かですね」若い娘は、店内を見回すそぶりをしてから、そう言った。

「平日ですからな」イワさんは笑い、すぐそばのスツールを引き寄せて、彼女に勧めた。

「お勤めのほうは――」いいかけて、イワさんは、今日が木曜日であることを思い出した。そして、娘の勤めているデパートの定休日であるということも。

「そうなんです」娘は、イワさんの頭のなかの考えを読んだかのように微笑して、言った。

「立ち仕事にもやっと慣れてきましたけど、やっぱり、お休みがくるとほっとします。ついつい、寝坊しちゃって」

「就職して、やっと一ヵ月ですからなあ」

娘はスツールにするりと腰かけ、抱きしめていた単行本を、膝《ひざ》の上にのせた。明るい水色のヘアバンドでまとめた髪が、肩のうえにはらりとこぼれた。

「それで、今日はまた?」イワさんは、机の引き出しから仕入帳を取り出しながら、娘のほの白い顔を見あげた。「こちらでお手伝いできるようなことができましたかな？」

若い娘は、淡いピンクの口紅をひいたくちびるをちょっと嚙《か》みしめ、視線を落とした。膝の本にのせた手が、それが間違いなくそこにあることを確かめようとするかのように、表紙のうえで、ちょっと強《こわ》ばったように見えた。

「実は——今日は、父の古本のことでお邪魔したんではないんです」

「ほほお」

「いえ、大きな意味で言えば同じことなんですけど、ちょっとこみいったお話で」

娘の思案気なまなざしが、つと周囲に向けられた。イワさんは、すぐにそれと察した。

「あと十分もすれば、昼飯を食いにいっているアルバイトのあんちゃんが戻ってきます。そうしたら、コーヒーでも飲みにいきましょう」

ほっとしたように、娘はうなずいた。膝のうえの本を、また抱きしめる。その仕草が気になって、イワさんは、娘のすんなりした指のあいだからのぞいている、その題名をちらと読んだ。

『淋しい狩人』

著者は、安達和郎《あだちかずお》。つまりは、娘の父親の書いた本であった。

彼女の名は安達明子。来月で二十一歳になる。イワさんと彼女との付き合いは、明子が短大の一年生のころに始まった。彼女が、電話帳を頼りに、家からいちばん近く、なおかつ「電話をしてみて、応対が親切そうな感じだったお店」を探して、古本屋田辺書店にたどりついたときに。

彼女が古本屋を探していたのは、父親の蔵書を整理するためだった。

「図書館や出版社にまるごと寄贈することも考えないではないんですけれど、わたしと母とでは、目録ひとつ満足につくることができないんです。そんな状態で、やみくもに寄贈しても、先方でも処分に困るようなものも交じっているかもしれないし……それで、プロの方に手伝っていただけないかと思って。なにしろ、書庫いっぱいにあるものですから」

最初にこの申し出があったときには、イワさんは、ごく軽い気持ちで、「よろしいですよ」と請《う》け合った。だが、田辺書店から車で五分ほどのところにある、二階建てのこぢんまりした木造家屋の、その「書庫」をのぞいてみたとたんに、そんな気軽な思いはふっ飛んでしまった。

「お父上の蔵書だとおっしゃいましたな、お嬢さん」

「はい」

「お差し支《つか》えなければ、お父上がどういうお仕事をなすっていたのか教えていただけませんか」

　明子は、ちらとほほえんだ。「父は、作家でした」

　明子の父安達和郎は、昭和三十年代から五十年代にかけて活躍した、推理小説作家であった。一種独特の耽美《たんび》的な作風で、あまり俗受けはしなかったものの、一部に根強い愛好者を持ち、松本清張を旗手とするリアルな社会派推理小説の奔流のなかで、「最後の探偵《たんてい》小説作家」とまで呼ばれていたことがある。

　イワさんは、あいにく、明子と面識ができるまでは、彼の諸作を手に取ったことがなかった。彼女と知り合ってのち、いくつかの作品のページを繰ってみたが――むろん、すべて絶版になっているので、安達家から借りて読んだのだが――率直に感想をのべれば、あまり面白いとは思わなかった。

　そのことは、無論、明子にも、彼女の母親にも口に出して言うことのできるはずもなかったが、イワさんが蔵書の目録づくりを指導しに安達家に通うようになって間もなく、明子のほうから、こんなふうに言った。

「父の小説は、母やわたしには、あまり面白く感じられないんです。すごいなあとは思いますけど。きっと、一般の読者にも、そんなふうに受け取られたんでしょうね」

　イワさんは、すぐにはなんとも言いようがなくて黙っていたのだが、古風な縁の老眼鏡をかけ、昔夫が執筆の際に使っていたというモンブランの万年筆で、丹念にリストを書き綴《つづ》りながら、彼女の母親が、

「お父さんの書くものを、全部面白いと思わないとならなかったなら、母さんはとっくの昔に家を出ていましたよ」と言ったときには、思わず吹き出してしまった。

「そうかもしれませんなぁ」

「そうですとも」と、明子の母は、穏やかな笑みを浮かべて言ったものだ。「お父さんの書くものが良かろうが悪かろうが、わたしはかまわなかったんですよ。理解できなくてもよかったんです。それはとても大事なことでしょうけれど、でも、そんなことを抜きにして、わたしや明子には、とてもいいひとでしたからね」

　これを聞いて、イワさんは、この母娘《おやこ》が好きになった。実際に、小説を書いている人間とひとつ屋根の下に暮らしていたなら、ことはそう単純ではなかっただろうけれど。「理解できなくたってよかったのだ」という言葉が出てくるまでには、そうとうの煩悶《はんもん》や葛藤《かっとう》があったのだろうけれど。

安達和郎は、執筆それ自体が趣味であるような、ある意味では幸せな作家であった。ただ、四十をすぎてから、知人に誘われて海釣《うみづ》りを覚え、以来、年に数回旅に出て、釣りを楽しむようになった。

そして、今から十二年前、ちょうど季節も今頃《いまごろ》、風薫《かぜかお》ると言われる五月の中旬に、ひとりでふらりと磯釣《いそづ》りに出かけた三陸の岩場で行方知れずになり、数日かけての捜索も虚《むな》しく、帰らぬ人になったままなのである。

明子は母親とふたり、父の生存を信じて生きてきたという。だが、彼女が十九歳を迎えた誕生日に、母親のほうから、

「お父さんの蔵書を整理しましょう」と切りだしたのだという。

「母のなかでは、十年をひと区切りにするという気持ちがあったんじゃないかと思います」と、明子はイワさんに説明した。

「それまでは、ひとに勧められても、失踪《しっそう》宣告を受けようともしなかったんです」

もともと、安達和郎は、それほど派手に売れていた作家ではなかったから、残された母娘の生活は、いつもかつかつだった。そのなかでも処分しないままにきた蔵書を整理し、手放そうという決心をするまでには、ずいぶんと辛《つら》い思いをしたに違いない。

イワさんは、安達家の蔵書の整理・目録づくりを、心から楽しんだ。旧《ふる》い『宝石』

や、その昔、イワさんが貸本屋から借りだして読み耽《ふけ》った立川文庫——資料的な価値のある蔵書というわけではなかったが、それだけに、イワさんにとっては貴重だった。こういう書物の宝の山の整理に、よくぞうちを選んでくださったと、安達母娘に感謝したい気分にもなったくらいだ。

なにしろ膨大な量の書籍が未整理のままになっていたし、明子も彼女の母親も、勤めや学校、家事の傍らに少しずつ片付けるのだから、作業はゆっくりゆっくりとしか進まなかった。そんなわけで、二年たった今でも、書庫の三分の一ほどの量が手付かずで残されている。イワさんが、明子の顔を見て、「お手伝いできることが——」と尋ねたのは、その残りの整理が進んで、処分品などが出たのか、という意味だった。

だが、田辺書店の並びにある、椅子《いす》はガタガタするしエアコンはきかないし窓ガラスは汚い、だが、コーヒーの味は天下一品だという喫茶店「あすなろ」の、くすんだ壁紙を背景に、かすかにうつむいた明子の様子では、そんな当たり前の用件のために、イワさんを訪ねてきたのではなさそうだ。

「なにかあったんですか、お嬢さん」

イワさんは、明子を「お嬢さん」、彼女の母親を「奥様」と呼ぶことにしている。している——というより、ごく自然にそうなってしまうのだ。

「あすなろ」の椅子に落ち着いても、明子はまだ、『淋しい狩人』を、膝のうえにのせていた。どうやら、仔細《しさい》はその小説にかかわることであるらしい。

『淋しい狩人』は、安達和郎が行方知れずになった当時に執筆していた作品である。したがって未完だ。探偵小説でいう、いわゆる解決編にあたる、うしろの三分の一の部分が、とうとう書かれないままになってしまった。不慮の事故のためとはいえ、事実上の絶筆が解決編未完とは、最後の探偵小説作家にふさわしいことだったかもしれないと、イワさんは思ったことがある。

安達和郎の失踪当時、『淋しい狩人』をどうするかということでは、安達家と版元の出版社とのあいだで、かなり揉《も》めごとが起こったようだった。遺族ふたりは、未完のまま出版してもらいたいと希望したが、版元は、解決編のない探偵小説は出版できかねると渋る。そして、若手の作家に未完の部分を書かせ、完成品にして出版したいと言ってきた。

「母と話し合って、やっぱりそれでは嫌《いや》だとお断わりしたんです」

結局折り合いがつかず、版元は手を引き、『淋しい狩人』は未完のまま、遺族により自費出版という形で世に出された。

「当時は、かなり話題になったんです」

未完の絶筆ということだけでなく、その内容も、また話題性のあるものだったからだ。

『淋しい狩人』で、安達和郎は初めて、彼の世界である耽美・幻想的な物語と、現実的な社会事象との融合を試みている――と、当時の書評には書かれている。たしかに、それまで彼が得意としていた、閉鎖された状況下の殺人とか、一族内の愛憎の葛藤から起こる血なまぐさい惨劇――という物語とは、『淋しい狩人』は、まったく異なっている。一見したところは、彼が激しく抵抗してやまなかった社会派の流れに沿ったもののようにさえ思えるのだ。

物語は、東京郊外H市の新興住宅地の一角で、若い男の刺殺死体が発見されるところから始まる。現場からは凶器は発見されず、遺留品もめぼしいものは残されていない。被害者は地元の役所に勤める真面目《まじめ》な公務員で、新婚二ヵ月であり、公私ともに地味ながら幸せな生活をおくっている男であった。所持品はなくなっていないので、物盗《ものと》りではないようだ。が、警察の綿密な捜査によっても、彼が他人から恨みを受けていたというような事実は浮かんでこない。男はなぜ殺されたのか？

そうこうしているうちに、今度は横浜の山下公園で、若い女性の刺殺死体が発見される。彼女はまだ十八歳、市内の銀行に就職したてのＯＬである。やはり物盗りには見えず、また、怨恨《えんこん》による犯行とも思えない。ふたつの殺人は、管轄《かんかつ》が違うということもあって、結び付けられることもなく、双方の捜査はそれぞれ行き詰まってしまうのだが、ここで章立てがかわり、ふたつの殺人を犯した「犯人」と思われる人物の告白が始まる――

この告白の部分では、安達和郎が腕をふるって、彼独特のねばっこい文章をつらね、殺人の美学だの神の意志だのが語られるのだが、イワさんには、どうももうひとつピンとこなかった。しかし、この手のものをよく読んでいる、イワさんのたったひとりの不出来な孫、稔《みのる》は、『淋しい狩人』を読んだのち、

「これって、今でいう、サイコ・キラーものだね」と感想を述べた。

「サイコ・キラーってのは、なんだ」

「無動機殺人とでも言えばいいのかなあ」

「ムドウキ？」

稔は、イワさんのために宙に字を書いてみせてくれた。

「通り魔みたいなやつか」

「うーん、まあ、通り魔もそのなかに入る……のかなあ」

「はっきりせんな。どういうことだ。森下町であったような、あんな物騒な事件

か？」

「佐木隆三さんの書いた、『深川通り魔殺人事件』の、あの事件？　どうかな、あれは覚醒《かくせい》剤でしょ。そういうのとは、また違うんだよね。あれも怖い事件だったけどさ」

「おじいちゃんには、よくわからん」

すると稔は、しかつめらしい顔で言ったものだ。「おじいちゃんたちぐらいの年代の人には理解しにくいし、おじいちゃんたちくらいの年代の人が元気で頑張《がんば》ってた時代にはめったに起こらなかったタイプのものだよ、無動機殺人ってのは」

イワさんはむっとした。「おじいちゃんは、まだまだ元気で頑張っとる」

「それが不幸だよ。時代の不幸を現役で見なくちゃならないもんね」

野球帽を後ろ前にかぶった稔の頭を、イワさんは、ここでひとつ、盛大に張り飛ばしてやったものだ。

そんなこんなをぼんやりと思い出しながら、イワさんは明子の顔に目をやった。

「お父上のそのご本が、なにか？」

答える前に、明子は深々とため息をついた。コーヒーの香のまじった吐息が、イワさんの鼻先で薫った。

「蔵書を整理し始めたとき、そのことが、雑誌で取りあげられたということはお話ししましたよね？」

イワさんはうなずいた。幻の探偵小説作家安達和郎の蔵書が売りに出される――という小さな記事が、ある週刊誌の紙面の片隅《かたすみ》に載せられたのだ。

「あれがきっかけになって、いっとき、父の作品がずいぶんと読み返されたようなんです。うちにも、問い合わせの手紙などがきたりしたんですが」

「よく存じておりますよ」

安達和郎の作品は、なにせ、十二年昔にも細々としか流通していなかったものだ。現在手に入れようと思っても、おいそれとはいかない。一時的にではあったが、その記事が出たころ、イワさんは、市場で同業者に会うと、安達和郎の小説を探しているとか、お客から注文を受けている、などの話を聞かされたものだった。

「このひとも、そういう読者のひとりだと思うんです」

そう言いながら、明子は膝のうえの『淋しい狩人』のページを開き、あいだにはさんであったはがきを一枚取り出した。

「ごらんになってみてください」

失礼、と声をかけてから、イワさんはそれを受け取った。表側には、安達家の正しい住所と、「安達和郎様」という宛名《あてな》が、きちんと並べて書かれている。せいぜい気を使って丁寧に書いてあるようだが、全体にしまりのない悪筆だった。ボールペンを使っているようだ。消印は、四月三十日。京橋郵便局だ。

裏を返すと、イワさんはちょっと驚いた。蟻《あり》の子のような細かい文字が、横書きでびっしりと並んでいたからだ。

「老眼鏡がいりますな」

「母もそう言っていました」

シャツの胸ポケットから眼鏡を取出し、鼻先にのっけて、イワさんははがきの文面に目を落とした。きわめて読みにくい文字の羅列《られつ》は、イワさんに、こんなふうに語りかけてきた。

「拝啓

突然おたよりいたします。僕は安達和郎氏の小説に心酔し、氏の作品世界を信仰してやまないファンのひとりです。ご遺族のかたに向けてこのはがきを書いています。

安達氏は天才だと思います。僕は、氏の『淋しい狩人』を読んでそう確信しました。他のすばらしい作品群のなかからも、また頭ひとつ抜き出た、世紀の傑作だと思います。この作品が未完のままであるというのは、実に惜しいことです。

しかし、僕は、この作品の、結末の部分までを推測し、氏に代わって創作することが可能であると、ご遺族のかたに申し上げます。ほかでもない、その難事をしとげることができるのは、僕をおいてほかにありません。今日はそのご挨拶《あいさつ》をしたいと思い、ペンをとりました。またおたよりいたします」

読み終えて、イワさんは両の眉根《まゆね》をあげた。カウンターの向こうでサイホンをわかしながら、「あすなろ」の主人がぎょっとしたような顔をしたのが見えた。よほどこっけいな表情を浮かべてしまったのだろう。

「なんですかな、これは」

「おかしいでしょう」と、明子は言った。口調は、ちっとも面白がっていない。むしろ、不安そうだ。

「続きを書くとでもいうんでしょうな、この調子だと」

「わたしも母も、そう思いました」

「で？　書き終えたものを送りつけてきたんですか？」

明子はゆっくり首を振った。

「次に来たのは、これです」

二枚目のはがきの消印は五月六日。今度は、新宿郵便局だ。

「拝啓
　先日は失礼しました。喜ばしい続報です。僕は、『淋しい狩人』の全容を推理・創作し終えました。実は、前回のはがきを出したときにも、もうそう断言できる状態になっていたのですが、あらためて申し上げます。

『淋しい狩人』は傑作です。あれほどの作品ですから、できるだけセンセーショナルな紹介の仕方をするべきです。それでこそ、僕も報われるというものです。そこで、僕は、『淋しい狩人』のプロットを、現実世界に移して活《い》かすことを考えました。あの傑作のなかで起こされた殺人事件が実際に起こり、最後にはその謎《なぞ》が解かれるのです。

　ほかでもない、僕の手によって。

　続報はお送りするつもりですが、新聞の社会面に気をつけていてください」

　今度こそ、イワさんは、眼鏡が鼻からおっこちるほどに大きく両目を見開いた。

「あすなろ」のマスターが、

「イワさん、どうしたね？」と声をかけてきた。

「いや、なんでもないよ」

　うわの空でそう答え、冷えてしまったコーヒーを一口飲むと、イワさんは明子を見つめた。

「このとんでもない野郎は、正気なんでしょうかね」

明子は黙って、『淋しい狩人』のページのあいだから、新聞の切り抜きを取り出した。

「今朝の朝刊です。ニュースでもやっていましたけれど」

手に取ったイワさんは、その切り抜きの中央に躍っている見出しを見た。

「八王子で若い男性の刺殺体」

殺されたのは、二十六歳の男性で、地方公務員だった。

2

「それで、僕は何をしたらいいんでしょうかね」

イワさんのアパートの、こざっぱりと片付いた座敷に落ち着き、中身が半分ほど残ったビールの瓶《びん》ごしに、樺野《かばの》俊明《としあき》がそう問いかけてきた。

樺野俊明——通称カバさんは三十三歳、警視庁の捜査一課に奉職する、現役ばりばりの刑事である。彼はイワさんの亡《な》き盟友のひとり息子であり、田辺書店の本当のオーナーであるのだが、この問いかけは、無論、前者の立場でなされたものだった。イワさんは、多忙な彼をなんとかつかまえて、店をしまった深夜のこの時刻に、自宅に来てくれるように頼んだのだった。そして、安達明子が持ち込んできた、ほとんど狂気の沙汰《さた》のような話の一部始終を語って聞かせたのである。

イワさんは、スイッチを切ったテレビとテレビ台に、もたれかかるようにして坐《すわ》っていた。深夜テレビは観《み》ないし、昼間はほとんど店にいるので、イワさんのこのテレビは、いつもこんなふうな用途にしか使用されない。

「それは、こっちのほうできききたいよ」

俊明は、ビール瓶の脇《わき》に置いた新聞の切り抜きを、首をかしげて見つめている。

「単なる偶然じゃないでしょうかね」

「それならいいんだがね。安達のお嬢さんもそう言っていたよ。考えすぎだといい、とね。わしだってそう思うよ」

「だいたい、考えにくいですよ。この程度の動機で殺人を犯すなんて」俊明は、つまみのピーナッツを指先で転がしながら言った。「その小説のなかでは、何人殺されることになってるんです?」

「書かれているかぎりでは、五人だよ」

ひとり目は若い男性、公務員。東京郊外の新興住宅地、H市。

ふたり目は若い女性、OL。横浜の山下公園。

三人目は中年の主婦。都内のA区。

四人目は独り暮らしの老人。都内のK区。

そして五人目が、十四歳の女子中学生。都下のM市となっている。

「それが全部実行されたら、たしかに、とんでもない話ですよ」俊明はうなりながらピーナッツを口のなかに放りこんだ。

「前代未聞《みもん》じゃないかね」

「というほどではないですが、同一犯人による連続殺人事件で、しかも動機がはっきりしないということになると、厄介《やっかい》だし騒動になることはたしかですね。その被害者たちは、全員、同じ凶器で同じ手口で殺されるんですか?」

「そっくり同じなんだよ」イワさんは答え、陰気に笑った。「しかも、同じ狂気のせいでな」

妙な顔をしている俊明に、宙に字を書いて教えてやった。

「地口の解説をするなんざ、粋《いき》じゃやねえが」

俊明は頭のうしろに手をやり、ごしごしとこすった。「本人にとっては筋の通っている、狂気の殺人ですか」

「そういうことになるのかねえ」

「サイコ・キラーってやつですね」

「稔もそういうようなことを言っとった。『淋《さび》しい狩人《かりゅうど》』を読んでな」

「だとすると——そういう小説に触発されたヤツが、物真似《ものまね》殺人をしようとしている、ということになるけど……」

俊明は腕組みした。この好天下に、連日聞き込みが続いているとかで、すっかり日焼けしている。腕時計のあとだけ、くっきりと白い。イワさんは、このところ店にこもりきりで、すっかりなま白くなってしまった自分の骨張った腕を見おろし、ちらりと情けなく思った。

「どちらにしろ、今の段階では、動きようがないですね。八王子の事件じゃ、僕は口出しできないし。一応、向こうの担当者に、話だけはしてみますが……笑い飛ばされるのがオチじゃないかなあ」

「それで終わってくれるように願っとるよ」

吐息とともにビールを飲み干し、ついでにゲップをもらしたイワさんに、俊明が表情をゆるめて問いかけた。「ところで、その後、稔くんはどうしてますか。気になってたんですよ。今日も、呼び出されたときには、その件かと思った」

イワさんはしかめ面《つら》をして、ビール瓶をにらみつけた。本当なら、稔の顔をにらんでやりたいのだが、彼は近ごろ、とんと田辺書店に寄りつかないのである。

「稔がどうしとるのか、わしゃ知らん」

ぼそりと言って、イワさんはビールを注《つ》ぎ足そうとした。俊明が手をのばし、イワさんの手から瓶を取りあげて、グラスを満たしてくれた。

「半月近く顔も見せないし、電話もない。どうなってるのか、さっぱりわからん」

「まだ、例の女性と続いてるんでしょうかね」

やや遠慮がちに俊明が問うたが、イワさんは黙って首を振るだけにしておいた。

イワさんの孫息子、稔、十七歳は、数ヵ月前から、ある女性と「恋仲」になっているのである。相手は稔よりも十歳も年上で、どうやら、水商売をしているらしい。

イワさんは職業に偏見を持つわけではなく、まして、ひとの恋愛にイチャモンをつけるつもりもない。好いた惚《ほ》れたは、でものはれもの、ところきらわずだ。当人同士が納得のいくまでやればいい。それがきまりってもんだ。

だが。孫息子のこととなると、話は別である。イワさんは、だから悩んでいるのだ。

深入りするのはやめろと、稔には何度となく忠告した。おまえの年齢では、恋愛と恋愛ごっことホルモン分泌《ぶんぴつ》の区別がつかないのだから、と。だが、頭に血がのぼっている稔は、素直に言うことをきかない。どうやら、このことでは、同居している両親——つまり、イワさんの息子とその嫁——とも、派手な争いをしているらしい。稔が夜、デートのためにフラフラ出かけて家を空けるからだ。

「盛りのついたネコじゃあるまいし」と、嫁さんは怒ったと、イワさんに報告してきた。稔は言い返しもせず、ただ軽蔑《けいべつ》的な視線を投げ返してきただけだったそうだ。

「母親なんて、つまらないですよ、お義父《とう》さん」

嘆く嫁さんに、イワさんは言ったものだ。「うちのも、よくそう言っていた。倅《せがれ》を育てているときに」

そういう意味じゃ、因果はめぐるのだ。いつかはこういうときがくる。子供は家族から離れてゆく。いい意味では、ひとり立ちして。悪い意味では、盛りがついて。

(しかし、それにしたって早すぎる)

それに、相手が悪すぎる。これが同級生の女の子なら、誰もなにも言わないのに。

実のところ、今日、安達明子が訪ねてきたとき、すぐそばに立たれるまで気づかなかったのも、稔の一件で頭がいっぱいになっていたからだったのだ。

田辺書店の店頭には、以前、稔が書き初めで書いた「蔵書五万冊」の額がかかげてある。あのころは良かったと、柄《がら》にもなくしょげかえって、イワさんは連日、ひとりでぽつんとレジに坐っていたのである。

「そっとしておくしかないですよ」慰め顔で、俊明が言った。「あの年ごろの男の子が通る、関門みたいなもんです。熱病ですよ」

わかっている。それはわかっているのだ。だが――

「熱病にかかって、後遺症でおかしくなることもある」

イワさんのつぶやきに、俊明は笑った。「取り越し苦労はやめましょうよ、イワさん。いつも言ってるじゃないですか。苦労は今あるだけでたくさんだ、取り越し分まで背負いこむことはねえ、って」

「そんなことを言ったかねえ」

イワさんは、ビールの酔いがじんわりと身体《からだ》にしみこんでゆくのを感じながら、ぼんやりと笑った。ビールなんて水みたいなもんだと思っていたのは、いったい何歳ぐらいまでだったろう？

歳《とし》をとっちまったんだな、と思うと、なんだか、目尻《めじり》がじわっとしてきた。おれは淋しいんだなと思うと、もっとじわっときた。

稔が、離れてゆく。

3

その後しばらくのあいだ、『淋しい狩人』をめぐる気味の悪い出来事を、イワさんは忘れて暮らしていた。

明子には、知人の刑事にことの事情を打ち明けておいたから、あまり心配しないようにと話してある。彼女のほうも、イワさんに話をもってきたのは、イワさんの知り合いに刑事がいるということを知っていたからで、そういう意味では目的を達したわけだから、かなりほっとした顔をしていた。

それに、十二年前に書かれ、未完のまま終わっている探偵《たんてい》小説をめぐることどもよりも、イワさんには、今このときに、現実の暮らしのなかで起こっている問題のほうが、やはり切実だったのである。それはつまり、稔のことだが。

明子の訪れから一週間ほどのち、彼女がやってきたときと同じような平日の昼時、眠気をもよおすようなのんびりした雰囲気《ふんいき》のたちこめる田辺書店のなかで――現に、アルバイトのあんちゃんのひとりは倉庫で居眠りをしていた——イワさんがまた、ひとり、ぽっちりとレジに向かって坐っていると、これもまた明子と同じようにして、すらりとした人影が、その前に立った。

「おや——」

目をあげたイワさんは、あまりに意外な訪問客に、ちょっと言葉が出なかった。

「突然にすみません、お義父《とう》さん」

稔の母、倅の嫁さんだった。彼女がこの店にひとりで訪ねてきたのは、これが初めてのことだ。

「どうしたね？　あんただって勤めがあるだろうに」尋ねてから、すぐにイワさんは言葉をついだ。「稔のことかね？」

「大当たりですよ」

嫁さんを連れて「あすなろ」へ行くと、今日もまたサイホンの前で満足そうにカップを磨《みが》いているマスターに彼女を紹介し、隅《すみ》っこの席に落ち着いた。

「なにか進展があったのかい？」

まさか稔のヤツ、彼女と同棲《どうせい》するとかいって家出したのじゃあるまいな——不吉な予感を覚えながら尋ねると、嫁さんは笑いながら首を振った。

「進展も何も、あの子はあいかわらずメートルをあげてますよ。自分の子でなけりゃ、そのまま月へでも行っちまえっていうところです」

倅の嫁さんは、仕事でも立派な実績をあげているし、なかなか教育もある女性なのだが、イワさんと倅の影響か、かなり雑駁《ざっぱく》な口をきくこともある。

「弱ったね」

おしぼりを使いながらイワさんがうめくと、嫁さんは腹立たしそうに口を尖《とが》らせて言った。

「十七の男の子ですよ。いくら大人ぶったって、まだまだ子供です。肝心な中身はね。それを手玉にとって……あんまり癪《しゃく》にさわるから、あたしねお義父さん、調べたんです、相手の女の素性を。探偵社を頼んでね」

イワさんはぎょっとした。この嫁さんには、ときどき度胆をぬかれることがあるのだが、何度やられても慣れることができない。たぶん、彼女の容貌《ようぼう》が——そりゃまあ、二十歳の娘さんのようにはいかないが——おとなしやかで涼しげで、ちょっと見には、どこぞで女優をしていますと言っても通ってしまいそうなほどのレベルのものであるからかもしれない。

「そりゃまた、思い切ったことをしたもんだねえ」

嫁さんはふんと鼻で笑った。「あたしもずいぶん迷ったんですけど、会社関係で、いい探偵社を知ってるって人がいましてね。紹介してくれたものですから。いかがわしいところじゃありませんよ。取引先の資産調査とかが本業のところですから」

イワさんはうなずいたが、逆にいえば、そんな堅いところに、身上調査のような、言ってみればヤクザな仕事ができるのだろうかと、少し危ぶむ気持ちにもなった。

「あっという間に調べてくれました。稔の相手の女のこと」イワさんの物思いをよそに、嫁さんはテキパキと続けた。「すっかりわかりましたよ。あらいざらい。そのひと、実は、市内にある『ぱぷろ』って劇団の研究生でしてね。夜だけ、関内《かんない》の小さいクラブでアルバイトしてるんだそうです。住んでいるマンションが、うちのすぐ近所なんです。稔とは、コンビニで知合ったらしいの」

そのあたりの馴《な》れ初《そ》めについては、イワさんも知っている。

「その劇団は、どんな芝居をやってるんだろう？」

「一応は、ブレヒトなんか掛けてるみたいですよ」

一応は、というところに、嫁さんの語られざる本心——どうせ勝手な解釈で適当にやってるインチキ芝居に違いない——が表われている。その雰囲気をイワさんは感じ取ったが、ブレヒトというのがどういう芝居書きなのか、あいにくとんと知らないので、あまり追及しないことにした。

「それじゃあまあ、多少はほっとしていいんだろうね」

「女優のタマゴだからですか？」嚙《か》みつくように、嫁さんがきいた。ちょうどそこにマスターがコーヒーを運んできたのだが、彼女の剣幕に、愛想笑いをひっこめて早々に立ち去ってしまった。

「相手の素性なんか、あたしとしてはなんでもいいんです」コーヒーカップを持ちあげ、怒ったように小指をピンと立てて、嫁さんは続けた。「それより、知りたかったのは身元のほうですから。そのひとに会って、稔と手を切るように、直《じか》談判しようと思いましてね」

イワさんは目を見張った。「それで、段取りはつけたのかい？」

「つけました」

「いつ？」

「明日の午後三時、関内駅前の『リベラ』って喫茶店で。身元を知られちゃ、向こうも逃げるわけにいかないんでしょう。出てくるって、承知しましたよ。もちろん、稔には内緒で」

イワさんは、まじまじと嫁さんの顔を見た。ここまで出掛けてくるときも闘争的な気分だったのか、口紅がちょっぴりはみ出したりしているが、怒れる母親としては、なかなか立派な顔だ。

「そういうやり方が、果たしていいのか悪いのかは、わしにはすぐには答えられないが」

「だからって、何もしないわけにもいきませんよ、お義父さん」

「そりゃそうかもしれないが」

イワさんだって、相手の女の素性を知りたくてウズウズしていたのだ。が、行動を起こすことができなかったのは、やっぱり「親」ではないからだろうと、自分でも初めて気がついた。なりふりかまわず怒ることもできないし、相手の女性に立ち向かうこともできない。どうしてかといったら、やはり、稔に対する遠慮があるからだ。

じいさんとしては、孫の人生を左右するかもしれないような行動は、やはりなまなかには起こすことができないのだ。

少しのあいだ、カップを手にぼうっとしていたが、嫁さんがこちらをじっと見つめていることに気がついて、顔をあげた。

「いや、しかしそれはあんたもたいへんだったね。思い切ったことをしたもんだ。いや、違うか、たいへんなのはこれからか」

「それなんですけど」

嫁さんは、テーブルの上に手を置いて、こちらに身を乗り出した。イワさんは反射的に身を引いた。

「お義父さん、明日の三時、あたしの代わりにそのひとに会いに行ってもらえませんか」

イワさんがもう少し若かったなら、「ゲゲッ」などというライトな驚きの台詞《せりふ》が、口をついて出ていたことだろう。が、実際には、イワさんは言葉を呑《の》んだだけだった。年金をもらえるような年齢になってしまったら、そうそう「ゲゲッ」などと口にしてはいけないのだ。

「しかし、なんでまたわしが？」

「あたしじゃダメなんです」嫁さんは、包丁でズバッと青菜を切るように、断定的に言ってのけた。「そのひととは電話で話したんですけどね。あたしが母親だからでしょうけど、頭っから反抗的なんですもの。お会いしに行くことは行きますけど、お話することなんかありませんから、とね、こうなんですよ。頭にくるったらありゃしない」

嫁さんの腹立ちはわからないでもないが、イワさんは頭の隅で、ゆくゆく稔は、嫁さんと母親のあいだに入って苦労しそうだ、と考えてしまった。

ままよ、今はそんな未来の心配をしているときではない。イワさんとしては、降りかかってきた火の粉をどうするかのほうが先決だ。むろん、稔のためになることだったら骨惜しみはしないが、今回の場合は、じいさんの立場で乗り出すには、あまりに問題が微妙すぎる。

「それでもなんでも、あんたが行ったほうがいいと思うよ。お膳立《ぜんだ》てしたのはあんたなんだし、母親はあんただ。わしは稔のじいさんなんだからね」

「稔のこと、誰よりも可愛《かわい》がってくださってるじゃないですか。お義父さんには、出掛けていってそのひとにひと言もふた言も言ってやる権利がありますよ」

「しかしねえ……」

「お願いします、お義父さん」嫁さんは、めったに下げない頭を下げた。「お願いしますよ。お義父さんだけが頼りなんです。だって、こういう場合、父親や母親が出ていったって、あまり効果はないと思うんですよ。おじいちゃんであるお義父さんだからこそ、向こうもぐっと詰まるところがあるんじゃないですか。稔のために手を切ってくれ、可愛い孫のために頼んでるんだっていえば、どんなしぶとい女だって、そりゃぐっとくるでしょうよ」

なんだかんだ言って、嫁さんは、最後のいちばんたいへんな部分はイワさんに任せようとしているわけだ。

そしてイワさんは、この嫁さんにこう仕掛けられた以上、結局は言いなりになってしまうのだということを、長い長い経験から知っているのだった。

「いいよ、わかったよ。会ってみようじゃないか、その娘さんに」

室田《むろた》淑美《としみ》、二十七歳。

稔の恋の相手は、そういう女性だった。嫁さんからもらった相手の身上調査票をシャツの懐《ふところ》に忍ばせて、約束の時間の十分前に、イワさんは関内駅前の喫茶店「リベラ」のドアを押したのだった。

嫁さんは彼女に、自分は「リベラ」の店内の、ひとつしかない電話ボックスの脇《わき》のテーブルに坐《すわ》っていると話したのだそうだ。彼女は、この店をよく利用しているのだそうで、そこが人目に立ちにくく、ゆっくりと話のできる場所だからそうしたのだという。

「間違えようのないほどわかりやすい席ですから」

なんて言っていたけれど、室田淑美のほうは、稔の母親が坐っているはずの席に、じいさんがひとりぽつねんとしていたら、さぞかし驚くことだろう。

そして、現実に、やってきた彼女はひどくびっくりした顔をした。イワさんを見つめ、周囲を見回して、電話ボックスに目をやり、またイワさんの顔を見る。

「室田淑美さんですな?」

中腰になって、イワさんは呼び掛けた。

「ええ……そうですけど」

明るい色に染めた髪に、身体の線がくっきりと出るワンピース。肩から無造作に下げたバッグは、凝ったゴブラン織りの布製のものだった。かなり値が張るに違いない。ひとから、彼女はどういう女性かと尋ねられたら、「垢《あか》抜けた娘だ」と答えるだろう。「なかなかの美人だ」とも。

だが、残念なことに、それ以上でも以下でもない。女優という仕事では、あまり芽が出ないのではなかろうかと、イワさんはとっさに思った。なにか、輝きに欠けている。閃《ひらめ》くものがないのだった。

残酷なようだが、こういうことは、ある程度年齢を重ね、それなりにものを見る目ができている人間には、すぐにわかるものだ。そうして、こういう直感は、まずはずれることがない。イワさんが判断するかぎり、室田淑美という娘には、女優としての将来性はなさそうに思えた。

「驚かせてすみませんな。私は、稔の祖父なんですよ。今日ここへ来ることになっていたあれの母親は、私の倅の嫁でして」

室田淑美は目を大きく見開いて、上から下までイワさんを観察した。視線が二往復して、やっと納得したらしい。

「掛けてもいいんでしょうか」と言った。

「もちろんですよ、どうぞ」

イワさんも、もとの椅子《いす》に腰をおろした。そして、「掛けてもいいか」と尋ねた淑美に、少しばかりほっとした。

「嫁に頼み込まれましてね」率直に話すにかぎると決めていたから、イワさんはそう切りだした。「あなたに会って、話をしてみてくれというんです。母親の自分が出ていっては角が立つからと、ね」

「角が立つ……」

淑美はそれだけ言って、あとは口をつぐんでしまった。少し目を伏せ気味にして、身体も心持ち外側に向け、イワさんとまともに目があわないようにしている。

彼女が注文したアイス・オレが、丈の高いグラスに入れて運ばれてきた。ウエイト

レスがそれをテーブルに置いて行ってしまうと、淑美はちょっと口の端を震わせ、

「こういうグラスって、苦手なんです。すぐ引っ繰り返しちゃいそうで」と言った。

「私もそう思いますねえ。ヒヤヒヤものですよ、こういうところにくると」

イワさんは同意したのに、淑美は、まるで、不謹慎なことでも口にしてしまったかのように、あわてて目を伏せた。バッグのなかを手探りし始める。

「あの……煙草《たばこ》すってもいいですか」

「どうぞ。私もすいますから」

淑美はバッグから細身のメンソール煙草を取出し、彼女の中指くらいしかない細身のライターで火をつけた。その指が震えているのを、イワさんは見た。

たしかに、こんなときには煙草がほしい。イワさんが自分のマイルドセブンに火をつけ、ゆっくりとふかしていると、淑美がまたあの神経質そうな笑みを浮かべて、早口に言い出した。「緊張してるんです。だけどなんか……どうしていいか。稔さんのおじいさんがいらしてるなんて、思いもしなかったから」

稔さん、か。イワさんは、その呼称をかみしめた。あいつも、女性にそう呼ばれるような年齢になったのだ。

「実をいうと、私も困っとります」イワさんは穏やかに言った。「孫のガールフレン

ドに会ってくれなんて言われても、じじいとしては何を話していいのかさえわかりません。うちの嫁はインテリでしてね。インテリの常で、現場の仕事は他人任《ひとまか》せなんですわ」

ここで初めて、淑美が顔をあげ、イワさんの目を見て笑った。「そうすると、身の置き所のない同士で話し合ってるわけですか」

「そうなりますなあ」

この娘さんを気に入った、とは言えない。だが、会わないほうがよかった、とも思えない。そして、会ってはみたが、会ってみたからこそ、何をどう話していいものか、迷ってしまうイワさんだった。

淑美は、慣れた手つきで煙草をもみ消すとアイス・オレのグラスを脇に押しやり、くちびるを素早く舐《な》めて、切りだした。

「あたしと稔さんが交際することを、ご家族の皆さんが反対するのはあたりまえだと思ってます」

イワさんは黙っていた。

「当然のことです」淑美は言って、ちらりとイワさんを見た。こちらから先に発砲したのに、相手方の前線にまったく変化がないことをいぶかっている、歩哨《ほしょう》のような目付きだった。

そこで、彼女はもう一発撃った。「あたしは真面目《まじめ》な気持ちで稔さんと付き合ってます。ですから、反対されても、別れるつもりはないんです」

ここで、彼女の向かいに坐っているのが嫁さんだったなら、さぞかしすさまじい銃撃戦が始まったことだろうと、イワさんは思った。そして、双方にとって、それもまた必要なことだったのではないかとも思った。

年寄が出てくると、なんでも丸くおさめてしまう。それはやはり、良くないのではないか。風邪のひき始めに解熱剤《げねつざい》を飲んで封じこめてしまい、あとあとまで全快しないで辛《つら》い思いをすることがある。あれと同じだ。出る熱は出してしまったほうがいい。物事というのは何でも、一度は喫水線を超えさせてからでなければ、収拾をつけることができないのだから。

だが、イワさんには、この場合嫁さんがしたであろうのと同じように、母親としての矜持《きょうじ》にかけて怒りまくり、また相手をも怒らせて喫水線を超えさせることは、どうにもできそうになかった。

「私も、別れてくれと言いにきたんではないんですよ」

イワさんがゆっくりと言うと、テーブルの上にのせた淑美の手が、ぴくりと震えた。

「別れろといっても、できないものはできないでしょう。本人同士のことなんだから、本人同士で結論を出すしかない。それにねえ、室田さん。私は稔のじいちゃんで、親じゃあない。だから、あいつの人生について、口を差し挟《はさ》むことはできないんですよ。あいつが困って助けを求めてきたなら、何でもしてやりたいと思いますがね」

淑美は目をあげ、そこに書かれているものを読もうとするかのように、一心にイワさんの顔を見つめた。しわの数をかぞえられているのではないかと、ふとイワさんが思ったほどに、一心に。

「私はね、室田さん。今日はただ、私ら家族が、稔のことを案じているんだというこ とだけ、あなたに言いにきたんです。あいつが大人なら、誰もこんなこと、あなたに向かって言いにきやしません。腹のなかでは心配しても、あなたにそれを言いに来たりはしませんよ。あえてあなたに言いにきたのは、あいつがまだ子供だからです」

「稔さんは、年齢よりずっと大人だわ」

淑美がつぶやいた。イワさんはすぐに言った。「しかし、子供であることにかわりはないんです。あなたも私くらいの年齢になると、嫌《いや》ってほどよくわかると思うが、人間てのは、どうやったって、本当の年齢より子供になったり大人になったりすることはできないようにできてるんですよ。歳《とし》をとれば、それだけ老《ふ》けるんです。若ければ、どう背伸びをしたって若いままなんです」

淑美はまた煙草を取り出したが、一本抜き出して、それを指先にはさんだまま、火をつけようとはしなかった。また、その煙草の先が震え始めている。

「稔さんは純粋な人です」と、小さな声で言った。それから声を大きくして、「純粋です。あたし、あんな純粋な男の子には初めて出会いました」

「それはね、室田さん。あいつがまだ、あなたのおっしゃるとおり、男の子だからですよ。身体《からだ》は一人前かもしれませんがね」

「純粋に、あたしのこと、好きだって言ってくれてます」淑美は、抗議でもするかのように声を張り上げた。「不純な動機で付き合ってるんじゃないわ」

「誰も不純だとは言うとらんですよ」イワさんは、心してゆっくりと言った。「しかし、室田さん、あなたは稔とは違って、純粋ならなんでも正しくて、不純ならなんでもいけないんだと思うような子供ではないでしょう。わしらが案じているのも、そのへんのことなんです」

淑美は目を閉じた。指のなかで、細身の煙草が折れ曲がっている。「結局、別れろってお話ですか」

「よく考えてくれとお頼みしてるんです」

「あたし……」淑美は言い淀《よど》み、目を開け、もう一度強く目を閉じてから、決心したように顔をあげて、イワさんを見た。「あたし、今まで、稔さんほどあたしのことを好きになってくれる人に会ったことありませんでした。今まで、そんないいこと、一度だってあったことなかったんです。だから、あたしにとって、とっても大切なことなんです」

イワさんはしみじみと淑美を見つめ、彼女の内側に、怯《おび》えた子供みたいなものが隠れているのを見つけたような気がした。

だがそれは、あくまでも「子供みたいなもの」だ。本当の子供ではない。

「きっと、そうなんでしょう」と、イワさんは言った。「稔はあなたにとって、それくらい意味のある男の子なんでしょう。しかしね、室田淑美さん。あんたは大人だ。大人が、子供を逃げ場にしちゃあいけませんよ」

「逃げ場……」

問いかけるように、淑美が繰り返した。だがイワさんは答えなかった。答えは、彼女自身が見つけるべきだ。

「私の言うことは、それだけです。おいとましましょう」

イワさんは立ち上がった。伝票を取りあげ、出口に向かう。淑美は顔をあげなかった。指のあいだで折れた煙草が、床にほろりと落ちても、動かなかった。

外に出ると、イワさんは急に疲れた。倅《せがれ》をひとり育てあげ、ようようお役御免と思っていたのに、孫の面倒まで、しかもこんなことまで世話してやらねばならぬとは。穏の台詞《せりふ》じゃないが、現役でいることの不幸である。イワさんは、「リベラ」を離れるにしたがって、なんとなく向かっ腹が立ってきた。同時に、どういうわけか笑いがこみあげてくるのだった。

（なるほど）と、ひとりでにんまりした。（こういうところで笑うには、うちの倅や嫁じゃ、まだまだ修業が足らんわな）

だがその笑みの寿命は、駅前のスタンドで新聞を買い、ホームのベンチに腰をおろして、紙面を広げるまでのものだった。笑いは瞬時に消えた。ベンジンが蒸発するように素早く。しかも、あとが冷たかった。

社会面の見出しに、活字が躍っていた。

「山下公園でＯＬの刺殺体発見」

4

探偵《たんてい》小説に登場する「警察」は、たいていの場合血の巡りがよくない。が、現実の警察は、かなり利口で機敏で話のわかる存在だ。まあ、カバさんという窓口があったということもあろうけれど、安達和郎と彼の『淋しい狩人』の一件は、当局のしかるべきところに、きちんとした情報として届けられた。

二件目の犯行に前後して、安達家には、例のだらしのない字体で書かれた、三通目のはがきが舞いこんでいた。ふたつの殺人事件は自分の手になるものだと宣言し、そのうえ、その謎《なぞ》を自分が解くのだと豪語している。

「いえ、謎を解く、という言い方はおかしいかもしれません。僕は、『淋しい狩人』の未完の部分を創作したのです。あの作中の犯人が、なぜ、どういう意図を持ってあの連続殺人をしたのか、完璧《かんぺき》に理解しているのです。だから、あの筋書きどおりの殺人を、現実に起こすことができるのです」

警察の皆さんには、すべての犯行が済んでから、一ヵ月の猶予《ゆうよ》をあげよう。それまでに動機から何から何まで、『淋しい狩人』で解決されていなかった謎をすべて解明し、自分を逮捕することができるよう、頑張《がんば》ってほしい。もしそれができなければ、全国中継のテレビのニュース番組で、自分のために枠《わく》をとってほしい。むろん、姿を現わしはしない。自首するわけでもない。そこに電話をかけて、謎解きをしてあげよう——そんなことどもを書きつらねて、はがきは「では、またいずれ」という言葉でしめくくられていた。

情報を当局に渡すとき、樺野俊明がいちばん案じていたことは、すぐに現実のものとなった。マスコミが騒ぎだしたのである。

「もってこいの題材ですからね」と、彼は嘆息した。「騒げば騒ぐほど、この手の犯人を喜ばせるだけなんだけどな」

雑誌や新聞、テレビ番組など、あちこちで、要約された『淋しい狩人』のストーリーが紹介されたけれど、やはり、現物を見たいという要求も大きく沸き起こってきた。いたずらにパニックを起こすことは避けたいと、安達家では捜査当局と相談し、再版はしないと決めたものの、騒ぎはおさまらなかった。

古書業界でも、一躍、『淋しい狩人』は金のなる木になってしまった。心ある業者ならそんなものには手を出さないが、いずこも同じ、儲《もう》け主義の人間というのはいるもので、市場はにわかに騒がしくなってきた。そうこうしているうちに、ゼロックスコピーでつくられた海賊版が流通し始めて、それでまたどたばたと走り回る連中がいる。それらのすべてが、二人目の被害者が出てから、一ヵ月足らずのあいだに起こってしまったのだ。イワさんも明子も、あれよあれよと見守るだけだった。

犯人はその後、なりをひそめている。はがきもこない。小説のなかでは、第二の殺人から第三の殺人までのあいだがどの程度空いていたのか、あまり明確に書いていないのだが、それでも、せいぜいひと月かふた月のことだろうと思われる。そろそろ動きだしてもいいころだと、イワさんは考えた。

しかし、その考えに、俊明は賛成しなかった。「これだけの騒動になると、犯人も動きにくくなってるはずですし、必ずしも小説のとおりに、忠実にやろうとは思わなくなっているはずですよ。満足してるでしょうしね」

「満足？」

「ええ。こういうことをやるのは、世間をあっと言わせたい、世間に認めてもらいたい、オレはすごいんだぞ、と威張りたい、ただそれだけの人間です。つかまえてみれば、貧相なつまらない人間ですよ、きっと。それだから、世間に騒がれて喝采《かっさい》される時間を、できるだけ引き延ばそうとするはずです」

彼の勘はあたっていた。犯人は、その後、気持ちよさそうに新聞社に投書してきたり、テレビのワイドショーに電話をかけてきたり、警察に犯行を認めるはがきを送ったりしてきたが、第三の殺人を起こすことについては、はっきりしたことは告げず、また、その得意気な様子から判断しても、今しばらく、こうして注目を集めているうちは、次の危ない橋は渡りそうもなかった。

警察は、犯人のこの「高原期」になんとしても逮捕にこぎつけたいと、必死の捜査を続けていた。

だがしかし——

事件全体が、思わぬことから、とんでもない方向へと動き始めたのは、第二の殺人から六週間後のことだった。

「なんですって?」

日曜日のことで、田辺書店は込みあっていた。子供が多いので、どうしても騒がしい。安達明子からのその電話も、騒音にさえぎられて、ひどく聞き取りにくかった。

だからイワさんも、最初は聞き違いかと思った。ましてや、電話の向こうの明子の声も、驚きと興奮とで裏返り、話も支離滅裂なので、輪をかけてわかりにくくなっていたのだ。

「落ち着いて、お嬢さん、落ち着いてください。いったいどうしたっていうんです。奥様になにかあったんですか」

明子は泣き声を出していた。「信じられないんです。でも、テレビ局を通して連絡があって……間違いないっていうんです」

「だから、何がです？」

明子は声を震わせた。「父が生きていたっていうんです」

イワさんは、受話器を飲み込んだような気分になった。明子の声が遠く、頭の奥のほうから響いてくるように聞こえる。

「名乗り出てきたって。『淋しい狩人』について、あの犯人が何をどう解釈してこようと、それはすべて出鱈目《でたらめ》だって、はっきりそれを表明する、それが自分の義務だって」

5

十二年ぶりに姿を現した安達和郎は、かつて著者近影で知られていたその顔、イワさんが、安達家で見かけたことのある写真のなかの顔から、かなり面変《おもが》わりしていた。

失踪《しっそう》していた十二年のあいだに、一年に一キロ程度の割合で、彼は体重を増やしていた。頭髪は薄くなり、顎《あご》がたるみ、まぶたが眠た気に目のうえに垂れかかっている。だが、全体として、穏やかな顔になったことはたしかだった。そのことは、夫の姿を、まずはテレビの画面で見た安達夫人が、真っ先に指摘した。

「重い荷物をおろしてほっとしたような顔です」

イワさんも、それは感じたことだった。それから類推するに、十二年前、彼が姿を消したその理由は――

「私は仕事に行き詰まっておりました」

テレビ中継された記者会見で、彼はとつとつとそう語った。マイクの束の向こうで、顎のあたりがときどきひくひくと痙攣《けいれん》するのが見えたが、言葉に詰まったり、言い淀んだりすることもなく、質問への返答も、きびきびとして合間があかなかった。

「あの『淋しい狩人』は、巷間《こうかん》伝えられているとおり、私が初めて、自分の作品のなかに、忌《い》み嫌《きら》っていたくそリアリズムを持ち込んだものでした。そういう要素を入れなければ、もはや、私のような作風の作家は、身がたたなくなっていたからです」

十二年を経てもなお、それについて語るとき、彼の目のあたりに、悔し気な色が浮かんだ。

「私は、あのくそリアリズムを、なんとか自分流に料理し、消化せねばならぬと思っておりました。かなり以前から、どれほど腹に据《す》えかねても、そういう方向転換をはからねば、創作を続けていくことはできないと悟っておりましたから、私なりに必死の覚悟でありました」

しかし、彼の努力も虚《むな》しく、『淋しい狩人』は、何度も何度も暗礁《あんしょう》に乗り上げる。

「版元では、私がいよいよ社会派的な題材を取り上げるということで、宣伝というほど大げさなものではありませんでしたが、かなりあちこちに、前触れを出していました。それなのに、私の筆は一向に進まない。にっちもさっちもいかない。自分でも、これが書き上げられねば自分は終わりだと思っていましたので、地獄の日々でありました」

気分転換に釣《つ》りに行くといって三陸へ向かったのも、

「最初から、どこかへ逐電してしまおうかという気持ちがありました。どこへ行くあてもなかったのですが」

最後の宿をとった旅館で、明日は東京へ帰るのかと思うと、胸苦しくて眠れず、息も詰まるほどに切なく、ただ膝《ひざ》が震えてどうしようもなかった、という。

「このままでは駄目《だめ》だ、逃げだそうと決めたのは、その夜のことです」

人間ひとり、死んだことにして姿を消す——探偵小説の作家にしてみれば、易《やさ》しい作業だ。まして彼は海釣りの愛好者だったから、岩場にそれらしい痕跡《こんせき》を残して姿を消せば、みな、波にさらわれたと思ってくれるに違いない。

「そうして、電車と船を乗り継いで、北海道へ渡りました。大きな都市は避け、できるだけ北へ向かいました。私にできる仕事など限られていましたが、出前持ちから掃除夫から、できることはなんだってやろうと思っておりました」

そうやって人目を避けて移動していると、自分など、一人前に小説を書いて世渡りをしているつもりだったが、実はまったくの匿名居士《とくめいこじ》、人に知られていない存在なのだということを、ひしひしと感じたという。それで安堵《あんど》もしたという。

「東京では、私が海で事故に遭ったと、だいぶ騒いでいるようでしたが、それも気になりませんでした。とにかく逃げだすことができた——その喜びでいっぱいだったのです。家族のことも……」

さすがに、このときは、彼の声が沈んだ。

「すまないとは思いましたが、死んだと思ってあきらめてくれと念じておりました。

小説を書くことができない、ほかになんの取り柄《とえ》もない親父《おやじ》など、そばにいないほうがいいと、そう思っておりました。言ってみれば私は、物書きとして、安楽死したかったのです」

この言葉を聞いたとき、イワさんは、安達和郎の気持ちを察したのと同時に、言いようのない哀れさをも覚えた。それは、彼に対しての感情であると同時に、安達夫人や明子に対してのものでもあった。

（理解できなくてもよかった）

そんなことなど抜きにして、私たちにはいいひとだったから——夫人はそう言っていた。だが、当の安達和郎は、書けなくなった自分など、生恥をさらさずに消えたほうが妻子のためだと考えていたのだ。

心というのは、なぜこんなにも、どうしようもなくすれ違ってしまうものなのだろう。

だが、テレビのなかの父親を見つめる明子の横顔、頬《ほお》を涙で濡《ぬ》らしながら微笑しているる夫人の顔を見ていると、それでも、このひとたちは再会できたのだからよかったのだと、素直に喜ぶことができた。記者会見が終わるころ、二人は、父親に会いに行くのだ。

安達和郎は、今回の事件を知ったとき、札幌市内で塾《じゆく》の雇われ講師をしていた。教師の手伝いをする程度の仕事で、あとは事務や雑用もこなす。もう彼の顔を覚えている人など、まずどこにもいそうになく、都市部に出てきても大丈夫だと判断したのは五年前のことだった。以来、ずっとその塾で、小学生たちを指導してきたのだった。

「事件を知ったとき、かなり迷いましたし、悩みました。幸い、塾の経営者である人には、私の経歴について、おおまかには説明をしていたことがありましたので、それを機会に思い切って事実を打ち明け、彼と相談をして、名乗りをあげることにしたのです」

マイクに向かって、安達和郎は声を高めた。

「私が申し上げたかったのは、このことです。『淋しい狩人』は失敗作でした。あれは未完なのではなく、失敗したために、完結させることができなかった小説なのです。したがって、立て続けに起こる五つの殺人も、なんら整合性のあるストーリー、動機でもって、結びつけることのできるものではありません。逆にいえば、私は、それを結びつけることができなかったから、話をつくってまとめることができなかったから、逃げだしたのですから」

ですから皆さん、あの犯人、『淋しい狩人』の謎を解いたと豪語している人間の言うことは出鱈目《でたらめ》です。砂上の楼閣です。彼はまがいものであります――安達和郎の声は力強く響き、イワさんは、ふと衿《えり》を正したくなるような気がした。安達和郎は、途中で挫折《ざせつ》してしまった作家ではあるけれど、まがいものではなかった。

会見以来、犯人はぴたりと動きを止めた。何を考えているのか、どうしようというのか、ニュースやワイドショーなどで、彼を揶揄《やゆ》したり、姿を見せるように説得するような発言がなされても、それに応《こた》えてくるということもない。

警察の捜査は続いていた。輪は狭まっていると、樺野俊明は言う。

「根気よく続けていけば、早晩、この人騒がせな野郎にたどりつくでしょうよ」

深夜のニュース番組では、社会心理学者が登場し、この犯人が、失墜させられたことの衝撃と、警察の手がのびてくることへの恐怖、そして、「殺人」というおぞましい所業に対する自家中毒とのために、自殺している可能性が高いと発言していた。

マスコミは、しばしのあいだ、安達一家に注目した。ことのついでという感じで、田辺書店も俎上《そじょう》に載せられ、ずいぶんと取材拒否して頑張ったイワさんも、とうとう根負けして撮るに任せるようになってしまった。ただし、インタビューなどには答えぬのだ。

「テレビで見ると、お店、なんかすごく狭く見えますねえ、お義父《とう》さん」

いわずもがなの嫁さんのひと言にも、イワさんは返事をしなかった。


七月に入り、ようやく周囲が静かになると、安達一家は、十二年の空白を埋めるために、疲れた身体《からだ》を休めるために、そろって伊豆《いず》の温泉地へ出かけていった。イワさんは一家を駅まで送り、久しぶりに心温かい気分で、田辺書店へと戻ってきた。

「ただいま」

「おかえりなさい」

イワさんはその場に足を止めた。レジの前の、アルバイトのあんちゃんが坐《すわ》っているべき場所に、稔が陣取っていたのだ。

「おまえ、学校は？」

「今日は土曜日だよ。半ドンさ」

からかうような言い方で、稔は言った。イワさんが、土曜日のことを「半ドン」というたびに、稔はいつもおかしいといって笑ってきたのだ。

「何しにきたんだ」

「手伝いに」稔はレジの椅子《いす》で背中をのばした。「あんまりお客が入ってないから、退屈だね」

「忙しいのはこれからだ」

「そうだね。おじいちゃん」

「なんだ」

「今夜、話したいことがあるんだけど」

「なんだね」

「淑美さんに会ったんだってね」

イワさんは、その必要もないのに、レジの周囲の棚《たな》の埃《ほこり》をはらった。

「彼女、このごろ、僕と会ってもちっとも楽しそうな顔をしないんだ」

稔の声は冷たかった。

「おじいちゃんのおかげだよ、ありがと」

その夜――

友好的な話し合いなど、望むべくもなかった。アパートの部屋で、遅くまで顔を突き合わせて話し込んだが、議論は同じところをグルグル回るだけで、ちっとも結論が出ない。

稔はイワさんを非難するばかりだし、イワさんは、室田淑美と、どんな話を、どんなふうに、なぜしたか、それを説明するしかない。

「勝手にしろ、おじいちゃんはもう知らん」

とうとう我慢が切れて、そう怒鳴ったのが午前二時すぎのこと。稔はテーブルを蹴《け》飛《と》ばしそうな勢いで外へ飛び出していった。

だが。

イワさんは、おかしな気配に顔をあげた。見ると、稔が戻ってくる。あとずさりして。ドアのほうに顔を向けたまま。その背中がこわばっている。

「おい、どうした――」

言いかけて、イワさんも見た。出刃包丁を構えた痩《や》せぎすの若い男が、青ざめ引きつった顔でこちらへにじり寄ってくるのを。

(なんだ、あのへっぴり腰は)

驚きながらも、イワさんはそんなことを考えた。腹が立っていたから、勢いがついていたのだ。

「あんただな、田辺書店の岩永《いわなが》ってのは」

甲高い震え声で、出刃包丁の若者が言った。

「ああ、そうだが」

「やっと見つけたんだ」ニワトリのように喉《のど》を震わせて、若者はぎくしゃくと言った。

「テレビに出てただろう。得意そうな顔してさ。安達和郎と並んでただろう」

たしかに、そういうショットを撮られた記憶はある。イワさんは目を見張った。

「あんた――」

「おじいちゃん、こいつだよ」稔が鋭い声で言った。「例の『淋しい狩人』さ。そうだろ？　おまえがやったんだろ、あの物真似《ものまね》殺人はさ」

「物真似じゃない！」若者はわめいた。「僕だけにできる創造だったんだ。僕だけに許されてる創造だったんだ！」

冷蔵庫の裏から這《は》い出てきたゴキブリを叩《たた》き殺したときのように、イワさんはいやあな気持ちになった。「あんたの言い分はわかった。何しにきたんだね？」

「何しに？　決まってるじゃないか」

「腹いせに、仕返しをしに来たんだよ、おじいちゃん」稔が警告した。「気をつけて」

まだ頭が沸騰《ふっとう》し、なおもなおも血がのぼり続けていたので、イワさんはその忠告に従わなかった。若者のほうに一歩詰め寄って、

「どうやってここを捜し当てた？　テレビで店が映ったからな。そこからわしらのあとをつけてきたのか。安達さん一家の家は突き止めることができなかったから、お手軽なほうから仕返しか。言っておくが、わしらも、安達さん一家も、あんたに恨まれる筋合いもへったくれもあったもんじゃねえんだ」

「僕の創造をめちゃくちゃにしたじゃないか！」

「おめえの創造だと？」イワさんは、カッとして前後を忘れた。「おめえが何を創造したっていうんだ、この薄汚ねえ泥棒《どろぼう》野郎が」

「僕は『淋しい狩人』を完成させたんだ！」若者はうわずった声でわめいた。「それをあんたたちがぶち壊した！　あんたも、安達和郎も、みんなしてだ」

そのひと言で、若者がはがきのなかに書いていた、「安達氏は天才です」などというもっともらしい能書きが、すべて嘘《うそ》だとわかってしまった。結局こいつは、ただの目立ちたがりのネズミなのだ。イワさんは怒鳴った。

「『淋しい狩人』は、おめえなんかのものじゃねえ。安達さんのものだ」

「なんだとぉ！」

若者が叫び、イワさんに向かって突進するのと、稔が「危ない！」と飛び出したのが、ほとんど同時のことだった。

気がつくと、イワさんは部屋の隅《すみ》にまではね飛ばされていた。稔が体当たりしてきたのだ。イワさんは小石のように飛ばされてしまった。

そして稔は、イワさんの盾になり、あの若者の出刃包丁を、ほとんど正面から受ける形になった。ぶつかった衝撃で手元が狂い、包丁は稔の脇腹《わきばら》をかすめ、若者の手を離れて床へ転がった。続いて、稔が尻《しり》から倒れた。傷口を押さえた手のあいだから、白いシャツを染め上げて、見る見る血がにじんでゆく。

「血……血だ」

包丁を失った若者は、よろよろしながら逃げだそうとしている。正気を失いかけていたイワさんは、その卑怯《ひきょう》なうしろ姿に、一気に怒りが燃え上がった。

「待ちやがれこの野郎！」

パトカーと救急車が駆けつけたときには、若者は稔と同じく、長々と床の上に伸びていた。若者の顔には、早くも青くなりかけた大きな痣《あざ》があったが、稔の顔は蒼白《そうはく》だった。そして彼の頭を膝にのせ、坐り込んでいるイワさんの顔も、負けず劣らず真っ白だった。

稔は、二週間の入院で済んだ。

彼が治療を受けているあいだ、イワさんはほとんど毎日病院に通ったが、面倒な話、複雑な話、また喧嘩《けんか》になりそうな話は、けっして持ち出そうとしなかった。

それは、稔も同じだった。ぼんやりと寝転んで、天井を見あげていることが多い。

あの『淋しい狩人』にとりつかれた連続殺人犯の逆恨みや、稔の災難や、それが結果として犯人逮捕につながったことなどは、マスコミを通して、また派手に報道された。

だが、ニュースを通してそれを見ているだろうに、室田淑美は、とうとう見舞いにこなかった。一度も、連絡ひとつよこさなかった。

そのことを、稔がどんなふうに感じているのか、なにがしか怖い気がして、イワさんはきいてみることができなかった。だがあるとき、稔のほうからこう言った。

「彼女、ホントに、このごろは、僕と会ってもちっとも楽しそうな顔をしなかったんだ。だから、もう終わりってことだったのかな。だから、見舞いにもこないのかな」

稔の横顔があまりに淋しそうだったので、イワさんは黙っていた。

「わかってたんだよ、僕も。わかってた。だけど、おじいちゃんに八つ当たりしなくちゃいられなかったんだ」

「いいんだよ」とだけ、イワさんは言った。そしてただ、心のなかで考えた。あるいはそれも、淑美さんの、大人の思いやりかもしれないんだ、と。

『淋しい狩人』の一節が、ちらりとイワさんの頭をよぎった。

「我々はみな孤独な狩人なのだ。帰る家もなく、荒野に出ればひとりきりだ。ときおり指笛を鳴らしても、応えるのは風の声だけである」

あの若者の犯したような、弁解のしようのない非道な殺人のうしろからさえも、孤独な指笛と、それに応えるうつろな風の音が聞こえてくるというのか。

そしてこの一節は、こんな文章でしめくくられる。眠っている稔の脇で、イワさんは、そっとそのくだりを暗唱した。

「それだから、我々は人を恋う。それだから、血の温《ぬく》もりを求めて止《や》まぬ」

解説

大森望

この解説の原稿を引き受けた翌日、50ccのスクーターにまたがり、南砂町のたなべ書店に古本を買いにいった――と書くと話が出来過ぎでリアリティがないけれど、これは正真正銘ほんとの話。わたしは解説の仕事を受注すると、まず最初にその作家の既刊文庫一式をそろえることを習慣にしているのである。

もちろん解説を書くくらいだから、たいていの場合、初版の単行本はおおむね持っている。宮部みゆきの既刊単行本についても、デビュー作の『パーフェクト・ブルー』から最新刊の『堪忍箱《かんにんばこ》』まで、ずらり二十五冊が仕事場の本棚《ほんだな》に並んでいる。当然、一冊残らず読んでるんだけど(いつも送っていただいてるからという理由もあるが、宮部みゆきは新刊が届いたその日のうちに読んでしまう数少ない作家のひとりなのである)、さすがに文庫版まではそろえていない。これまで出ている文庫にどんな解説がついているかをチェックするためと、再読するにもハードカバーより文庫が持ち運びに便利という理由から、こういう機会にまとめて文庫を購入するわけですね。だったら紀伊國屋《きのくにや》とか丸善とかの大書店で買えばよさそうなもんだが、なにしろ根が貧乏性なので、おなじ本なら新刊書店より古本屋で買いたい。早稲田《わせだ》界隈《かいわい》や神保《じんぼう》町《ちょう》の古書店だと文庫をさがすのはたいへんですが、ここ数年全国各地に増えている郊外型古本屋では、出版社に関係なく著者別あいうえお順でどどっと配置してある店が多いから、特定作家の文庫をまとめて購入したい場合はとても重宝する。その中でもわたしが愛用しているのが、南砂町のたなべ書店。我が家は西葛西《にしかさい》だからスクーターで五分の距離だし、すぐそばには江東区南砂図書館もあるから、ついでに調べものもすんでしまう。

……と、くだくだ私事を書きつらねているのも、すでに本書をお読みになった方はご承知のとおり、この「たなべ書店」が、本書の主な舞台となる「田辺書店」のモデル（推定）だから。『淋しい狩人』は、小説新潮一九九一年六月号から一九九三年六月号まで断続的に掲載された短編を一冊にまとめた連作集で、東京の下町にある古本屋・田辺書店の店主、イワさんこと岩永幸吉《いわながこうきち》と、その「たった一人の不出来な孫」の稔《みのる》が主役をつとめる。

もっとも、現実のたなべ書店は、ここ数年次々に支店をオープンさせているくらいで、本書の田辺書店よりはかなり規模が大きい。稔が書き初めで書いた「蔵書五万冊」の文字に、イワさんは「誇大宣伝だがなあ」と大笑するけれど、インターネット上にあるたなべ書店チェーンのホームページを見ると、看板に「古本50万冊」と大書してあり、「東京の下町、荒川の土手下にある小さな共同ビルの一階で、六坪の店に、二坪の事務所兼倉庫」の田辺書店とはずいぶん差がある。とはいえ、「古書」より「古本」という呼び名が似つかわしい本ばかりを扱う「町の古本屋さん」という点は共通している。

九六年の話題をさらった海外ミステリ、ジョン・ダニングの『死の蔵書』でもそうだけれど、古本関係のミステリと言えば、稀覯本《きこうぼん》や古書マニアをめぐる作品が大多数を占める。「特殊業界物」のひとつに「古書業界物」があるという感じで、「三冊しか現存が確認されていない幻の古書」だの、「デパートの古書市で熾烈《しれつ》な先陣争いをくりひろげる書痴《しょち》」だのが登場し、幸福な一般人にはほとんど縁のない古書をめぐる蘊蓄《うんちく》がじっくりと傾けられたりするわけである（いや、もちろんそれが楽しみで読むんですけど）。ところが本書には、古書のコレクターも珍しい本も登場しない。出てくるのは、『死の蔵書』の登場人物なら鼻で笑ってゴミに出しそうな雑本ばかり。

……ここでは、四角ばって「古書」と称するにふさわしいような本は置いていない。棚に並べられている商品の大半は娯楽本だ。立派な娯楽本ばかりだ。小説もあればハウツー本もある。「おえかきのてびき」なんていうのもあれば、童話もある。ここに古本を買いに来るお客さんたちは、愉《たの》しみと夢を求めているのだ。

つまり、『淋しい狩人』は、「世話物」の名手として知られる宮部みゆきの作品らしく、どこにでもあるふつうの古本屋を舞台に、どこにでもいるふつうの人間とどこにでもあるふつうの本との関《かか》わりから事件が起きるミステリなのである。ここに描かれる古本はあくまでも読むための本であり、モノとしての価値はない。したがって物語に関係するのも本の外側ではなく中身のほう。「読んだりしたら本が傷《いた》むじゃないか」と思っている古本極道たちには古本ミステリと認めがたいかもしれないが、ここでは「本は読まれることに価値がある」という思想が貫かれている。

収録作品六編は、いずれも本をめぐって事件が起き、その謎《なぞ》をイワさんと稔が解決するという素人探偵《しろうとたんてい》物的な趣向で統一されている。読み返してみると、その小説づくりのうまさにあらためて舌を巻く。最初に置かれた「六月は名ばかりの月」の冒頭数ページのエピソードを読むだけで、だれでも物語にすんなり溶け込み、ちょっとかび臭い田辺書店の空気を呼吸することができる。

とはいえ、宮部みゆきの小説のうまさについては、いまさらわたしがここで賞賛の言葉を並べるまでもない。これはもう出版界の常識というべきで、たまたまあなたにその常識がなかったとしても、本書を一読すればたちまち理解できる仕組みなのである。

というわけで、ここでは宮部みゆきの歌のうまさについて、残りのページを費やして解説することにしたい。いやほんと、宮部さんの歌は絶品なのである。カラオケボックスで何度かいっしょに朝を迎えたわたしが言うのだからまちがいない。松田聖子から大貫妙子《おおぬきたえこ》、マドンナから「まんが日本昔ばなし」まで、そのレパートリーの広さも特筆に値する。初めてマイクを握る洋楽でもまったく危なげなく歌いきれるのは驚きで、これはたぶん、彼女の耳がいいからだろう。

……などと書いていると脱線もいいかげんにしろと言われそうだが、この「耳のよさ」は、宮部みゆきの小説技術を支える重要な要素なのである（ふたたび推測）。なんのへんてつもない日常会話が、彼女の筆にかかったとたん、たちまちくっきりと耳に届く鮮やかな声に変わるのも、その優秀な耳が現実生活で聞いてきた会話のストックから、場面に合わせて最適な声を再生・加工しているからにほかならない。

と、無理やり話をつないだところでもうひとつ言えば、「暗い歌を歌っても場が暗くならない」という、カラオケボックスにおける宮部みゆきの第二法則は、小説作品にもきちんとあてはまる。

『淋しい狩人』もその典型のひとつ。本書について書かれた書評を読んでいると、「心あたたまる」とか「ほのぼのとした」とか「楽しい」とかの形容がやたら目につく。たしかに読後感はそのとおりなのだが、よく考えてみると、この連作短編集に収録された作品は、どれもけっして単純に「心あたたまる」物語ではない（**以下、本書の内容に触れる場合があります。未読の方は先に本文をお読みください**）。

「六月は名ばかりの月」の中心となる事件は卑劣としか言いようのない策略の産物だし、「うそつき喇叭《らっぱ》」の陰惨な児童虐待《ぎゃくたい》はやりきれない重苦しさをはらんでいる。異常心理サスペンス風の犯人像を提出する「淋しい狩人」など、事件そのものは「ほのぼの」の対極に位置する。犯罪が関係しない、日常的な謎をめぐる短編でも、事情は変わらない。

たとえば「歪《ゆが》んだ鏡」を見てみよう。物語は、平凡なＯＬの由紀子が満員電車の網棚から一冊の文庫本を拾うところからはじまる。その本、山本周五郎の『赤ひげ診療譚《たん》』には、なぜか一枚の名刺がはさまれていた……。

この魅惑的な発端から、心温まる物語を紡《つむ》ぎ出すのは簡単だろう。ジョナサン・キャロルの『死者の書』では、古本屋の棚の前で一冊のおなじ本をとりあったことから、ひと組の男女のラブロマンスがはじまるけれど、それとおなじように、この一枚の名刺から恋が芽生えてもおかしくない。じっさい由紀子は、『赤ひげ診療譚』を読み進めながら、名刺の持ち主についてさまざまな想像をふくらませる。しかし宮部みゆきは、由紀子に（そして読者にも）夢を見させない。

久永由紀子は、自分と自分が歩いてきた人生に——まだたった二十五年の道のりだけれども——どんな種類の幻想も抱いてはいなかった。彼女は、自分が入れられている金魚鉢《ばち》のサイズを知っている金魚だった。誰に教えられたのでもない。知っているのだ。

それは彼女がのぞきこむ鏡のなかに描かれている。無情なほどにくっきりと書き付けられている。由紀子は映画のヒロインではなく、小説のなかのシンデレラでもない。それをよく知っているから、彼女は行く手に対してなんの期待も抱いてはいなかった。

こう説明される由紀子は、自分の容姿にコンプレックスを持っている。少女マンガなら（ほのぼのラブストーリーなら）、ヒロインの前にあらわれた王子様が、「いまのままのきみが好きなんだ」と宣言して、めでたく劣等感が解消されるかもしれない。しかしこの小説には、そういうもてなしのいいハッピーエンドは用意されていない。

意を決して名刺の主に会いにいった由紀子が知らされる真相（『赤ひげ診療譚』に名刺がはさんであった理由）は、どうしようもなく〝現実的〟だ。打算と偶然の結果でしかなく、そこにはどんな夢も入る隙間《すきま》がない（死んだ父のアパートで遺品を整理した息子が、本棚ひとつを埋めつくす三百二冊のおなじ本を発見する「黙って逝《い》った」の解決にも、それと同様の構造を見ることができる）。この作品における宮部みゆきは、徹底したリアリストであると言ってもいい。

しかし、「歪んだ鏡」がきびしい現実を登場人物と読者に押しつける小説かと言えば、もちろんそうではない。今の男性社会で、由紀子の容姿がハンディキャップとなることは冷徹な〝現実〟であり、だからこそ聡明《そうめい》な彼女は「行く手に対してなんの期待も抱いてはいな」い。しかし、偶然手にとった『赤ひげ診療譚』の中の一節、「男なんてものは、いつか毀《こわ》れちまう車のようなもんです」という台詞《せりふ》から、由紀子はべつの価値観が存在しうることを実感する。

これを、「男性社会が押しつける価値観の呪縛《じゅばく》から解放された女性の自立」と解釈すれば、あるいはフェミニズム小説に分類できるかもしれない。しかし、主義主張によって幸福になれるわけではないことを知りつくした女性が、一編の小説との出会いによってたどりつく理解には、凡百のフェミニズム小説には太刀打ちできない深さとリアリティがある。

そして、「王子様は如才ないだけのつまらない男だった」という現実によって夢を壊されているからこそ、最後に由紀子が到達するささやかな自己肯定はいっそう輝きを増す。読者は、そのささやかな幸福感を増幅して受け止めることで、プロットが提示する以上に「心温まる」気持ちを抱いて読み終えることになる。そこに〝ほのぼの〟の秘密がある。

この連作短編集全体の縦軸をなす、イワさんと稔の関係についても、おなじことが言えるだろう。本書の前半で、ありえないほど幸福な関係として提示される二人の交流には、稔がクラブに勤める年上の女性と恋愛関係に陥ることで亀裂《きれつ》が生じる。もっとも、いまどきの高校生とは思えないほど利発で品行方正な稔が惚《ほ》れるのだから、その相手も、一昔前のドラマに出てくるような、年下の男をたぶらかす玄人《くろうと》女性ではない。イワさんがものわかりのよさを発揮して、たとえば「稔が高校を卒業するまでデートは週末だけ」とかなんとか条件をつけて交際を認めたとしても、さほど違和感はないだろう。しかし宮部みゆきは、〝現実〟が恋愛の障害となることを否定しない。高校生が水商売の女（たとえ昼間は劇団の研究生で、クラブ勤めは生活費を稼《かせ》ぐためのアルバイトだとしても）とつきあうことは、稔の両親や祖父にとって、やはり悪なのである。したがってイワさんは、小説的な「ものわかりのいいおじいちゃん」を演じようとはしない。いたって現実的に対策を練り、現実的な処理を実行する。そして当然、孫との仲はいったん決定的にこじれてしまうのだが、だからこそ結末の和解（というほどドラマチックな場面として描かれるわけではない）によって、読者はほっと息をついて本を置くことができる。

こういう語りの技術は、けっして天性のものでも、作者の人柄に帰すべきものでもないだろう。海千山千の活字中毒者たちをほろりとさせてしまう「心温まる宮部ワールド」は、計算しつくされた構成と、磨き抜かれた表現力によって支えられている。甘いだけの夢では生きられない。厳しいだけの現実では生きていく価値がない。宮部みゆきは、その微妙な境界線をみごとな語りの技術で綱渡りしながら読者に感動を与える作家なのである。

（一九九六年十二月、翻訳家）

この作品は平成五年十月新潮社より刊行された。

宮部みゆき著

魔術はささやく

日本推理サスペンス大賞受賞

それぞれ無関係に見えた三つの死。さらに魔の手は四人めに伸びていた。しかし知らず知らず事件の真相に迫っていく少年がいた。

宮部みゆき著

レベル7《セブン》

レベル7まで行ったら戻れない。謎の言葉を残して失踪した少女を探すカウンセラーと記憶を失った男女の追跡行は……緊迫の四日間。

宮部みゆき著

返事はいらない

失恋から犯罪の片棒を担ぐにいたる微妙な女性心理を描く表題作など6編。日々の生活と幻想が交錯する東京の街と人を描く短編集。

宮部みゆき著

龍は眠る

日本推理作家協会賞受賞

雑誌記者の高坂は嵐の晩に、超常能力者と名乗る少年、慎司と出会った。それが全ての始まりだったのだ。やがて高坂の周囲に……。

宮部みゆき著

本所深川ふしぎ草紙

吉川英治文学新人賞受賞

深川七不思議を題材に、下町の人情の機微とささやかな日々の哀歓をミステリー仕立てで描く七編。宮部みゆきワールド時代小説篇。

宮部みゆき著

かまいたち

夜な夜な出没して江戸を恐怖に陥れる辻斬り〝かまいたち〟の正体に迫る町娘。サスペンス満点の表題作はじめ四編収録の時代短編集。

新潮文庫最新刊

上橋菜穂子著
精霊の木
環境破壊で地球が滅び、人類が移住した星で、過去と現在が交叉し浮かび上がる真実とは――「守り人」シリーズ著者のデビュー作！

河野裕著
きみの世界に、青が鳴る
これは僕と彼女の物語だ。だから選ばなければいけない。成長するとは、大人になるとは、何なのかを。心を穿つ青春ミステリ、完結。

佐藤多佳子著
明るい夜に出かけて
山本周五郎賞受賞
深夜ラジオ、コンビニバイト、人に言えないトラブル……夜の中で彷徨う若者たちの孤独と繋がりを暖かく描いた、青春小説の傑作！

久間十義著
禁じられたメス
指導医とのあやまちが、東子を奈落の底に突き落とす。病気腎移植問題、東日本大震災を背景に運命に翻弄される女医を描く傑作長編。

東川篤哉著
かがやき荘西荻探偵局
謎解きときどきぐだぐだ酒宴（男不要!!）。西荻窪のシェアハウスで暮らす金欠アラサー女子三人組の推理が心地よいミステリー。

奥田亜希子著
五つ星をつけてよ
レビューを見なければ、何も選べない――。恵美は母のホームヘルパー・依田の悪評を耳にするが。誰かの評価に揺れる心を描く六編。

淋《さび》しい狩人《かりゅうど》

新潮文庫　み－22－7

平成　九　年　二　月　一　日　発　行
平成二十六年　八　月二十五日　四十六刷改版
令和　元　年　五　月　三　十　日　五　十　一　刷

著者　宮《みや》部《べ》みゆき
発行者　佐藤隆信
発行所　株式会社　新潮社

郵便番号　一六二―八七一一
東京都新宿区矢来町七一
電話　編集部(〇三)三二六六―五四四〇
　　　読者係(〇三)三二六六―五一一一
http://www.shinchosha.co.jp

価格はカバーに表示してあります。

印刷・錦明印刷株式会社　製本・株式会社大進堂

ISBN978-4-10-136917-4 C0193